JN059079

平和構築のトリロジー

民主化・発展・平和を再考する

山田 満

明石書店

はじめに

いま民主主義が揺らいでいる。揺らいでいるどころか退行、逆行しているのかもしれない。しかし他方で、権威主義体制とみられる諸国でさえ、民主主義を真っ向から否定する声は聞こえてこない。「民主主義」というキーワードは、やはりあらゆる政治体制の隠れ蓑的な形容詞になっているのではないだろうか。それではなぜ「民主主義」が退行、さらには逆行しているというような評価が聞かれるのか。それは、「民主主義」の解釈がそれぞれの国によって意図的、あるいは必然的に異なっているからではないか。いや、むしろ各国が自国にとって都合の良い「民主主義」の解釈へと暗黙裡に引き寄せているのではないか。それはまるで「民主主義丸」という船舶が同概念を乗船させたまま、錨を下ろしたはずなのに漂流している様子を彷彿させる。「民主主義」は確かに走錨(そうびょう)しているのだ。

筆者は、1990年代からアジアの民主化支援の一環として、数多くの選挙監視活動に従事してきた。「自由で公正な選挙」の実施が民主主義の根を生やし、強固なグッド・ガバナンスを構築すると考えられてきたからである。特に、紛争後国家や脆弱国家における選挙は、民主的手続きで選ばれた議員が政権を運営していくという平和構築の第一歩として、また国際社会が注視する重要な転機として期待されてきた。その一方で、筆者は現場での選挙監視活動を通じて常々「自由で公正な選挙」とは何かを問い続けてきた。つまり、「自由」と「公正」とは一体化したものなのだろうかと長年疑問を抱いてきたのである。

また、20歳でバックパッカーとして東南アジアを旅して以来、長年にわたり途上国の開発についても考えてきた。特に1990年代後半以降、途上国の現場でいつも直面する現実は、「開発の同時代性」である。例えば、99年8月の住民投票前後から、インドネシア支配下を含め紛争後の東ティモールの平和構築、その後の国家建設を間近で見てきた。そして、紛争で破壊された電気通信の復旧・復興過程でも、固定電話の普及を一気に飛び越え、いまやほとんどの若者が携帯電話、それもスマートフォンを持ち、フェイスブックなどのSNS（ソーシャル・ネットワーキング・サービス）を通じて世界の人々とつながっている。

筆者は東ティモール国立大学（UNTL）を勤務先の学生を連れて毎年訪問するが、必ずといっていいほど帰国後にフェイスブックの「友だち承認」を求めるUNTL学生からの依頼がくる。同行学生にも相当数のアクセスがあるのは想像に難くない。しかし、東ティモールの農村地域を訪問すると、都市部の生活水準とはかけ離れた貧困や低開発が常態化している。要するに発展の形態が所得格差を背景にした「まだらな発展[1]」になっていることに気づく。

また、コロナ禍でより顕在化してきた米中の対立はかつての米ソ時代の冷戦構造と類似するものの、決して自由主義・資本主義対社会主義・共産主義というイデオロギーの対立にはなっていない。自由主義市場経済が中国では「社会主義市場経済」と呼ばれ、自由貿易の重要性を習近平国家主席自ら発信し、むしろアメリカではドナルド・トランプ前大統領が「自国第一主義」を掲げて保護主義化している。他方で、中国は南シナ海での九段線にみられるように領海線を強引に引き、ベトナムやフィリピンなど東南アジア諸国と領域をめぐって緊張関係にある。リベラル・デモクラシーを主導するはずのアメリカが保護主義化し、共産党一党独裁下で権威主義体制を敷く中国が自由貿易や国際協調を訴えるという「重心なき平和」の構造になっている。

本書執筆中の2020年11月3日に世界が注目するアメリカ大統領

選挙が実施された。トランプ大統領との接戦の結果、民主党候補者ジョー・バイデンが選挙人の過半数を得ることになった。第46代アメリカ大統領になるバイデンはトランプ政権とは異なり国際協調路線への転換を訴えるが、他方で経済関係をめぐる米中の対立は今後も続くものと思われる。グレアム・アリソン（Graham Allison）が『米中戦争前夜』（*Destined for War*）で懸念する「トゥキディデスの罠」を回避する一方で、むしろジョセフ・ナイが危惧する「キンドルバーガーの罠」、つまり衰退する覇権国家のアメリカが孤立路線に陥るなか、新興国家の中国が国際公共財を維持するうえで、どのような役割を果たしていくのかが重要になる。

さて本書では、このような現代社会の現状を筆者の現場での体験を踏まえて、3つのキーワード、すなわち「走錨する民主主義」「まだらな発展」「重心なき平和」を軸に考えてみたいと思う。また、筆者の現代社会の分析の背景には、現状を肯定するのではなく、むしろ「民主主義」「発展」「平和」のあり方の再考を促し、いまいちど国際社会の現状を読者に訴えてみたい。なぜならば、「人間は生まれながらにして自由・平等」という「人権」を有するはずだからである。平和で平等な発展を促す社会とは何か。まずは現状の分析を通じて、いまいちど自由・平等・公正な社会のあり方を考えてみたい。

また、本書のタイトルを『平和構築のトリロジー』とつけたのは、3つのキーワードを背景にした病理を乗り越え、新しい国際社会の平和を創造することを願ってのことである。したがって、本章でいう平和構築は紛争予防を指している。ただし、ここでいう「紛争」とは物理的な暴力のみならず、ヨハン・ガルトゥング（Johang Galutung）が提示した差別、弾圧、貧困などの構造的暴力や文化的暴力も含まれている。これらの「紛争」は直接的にエスニシティ間の暴力的対立を生起する場合もあるが、他方で心理的な亀裂やアイデンティティをめぐる集団間の対立が国民統合を阻害する要因にもなっている。これらの「対立」を３つの病理として分析・考察することが本書の目的である。

平和構築のトリロジー———目次

第1章　「リベラル・デモクラシー」とは何か

1. 民主主義（デモクラシー）を考える

世界を見渡すと「民主主義」を名乗る国家が多いことに今更ながら驚く。金一族が支配する北朝鮮の正式国家名は「朝鮮民主主義人民共和国」である。金正恩が父・正日から権力を継承した後の粛清政策は、自らの政権安定のために叔父から異母兄まで多くの犠牲者を出したことで知られている。また、核開発やミサイル開発に多くの資金が費やされる一方で、多数の国民の飢餓を引き起こしていることも周知の事実である。命懸けで脱北してきた人々の証言から疑いの余地はほとんどないだろう。

このように、国際社会における「民主主義」を名乗る国家が引き起こす負の事実は、残念ながら北朝鮮だけではないようである。第二次世界大戦後の独立国家は、当時の東西冷戦を背景にしたイデオロギーに基づく「社会主義」や「民主主義」を国家の名前に冠した。例えば、かつてのソビエト連邦の影響下にあった東欧のユーゴスラビア社会主義共和国、チェコスロバキア社会主義共和国、ルーマニア社会主義共和国などはソ連主導の東側陣営諸国に属していたことで国名に「社会主義」を掲げた。

またその一方で、アジア・アフリカ諸国の代表は、国際連合憲章で定められた「人民と民族（nations）の自決の権利」に基づく「人民の自決」を「独立する権利」と捉え、「人民」という語句を積極的に国名につけた。例えば、モンゴル人民共和国や中華人民共和国などである。

ハンガリー人民共和国、ブリガリア人民共和国、ポーランド人民共和国などの東欧の国々は民族の自決を背景に民族名も国名に冠している。そして、アルバニア人民社会主義共和国のようにイデオロギーも同時に国名に付加する国家も現れたのである（吉川 2007：51-52）。

他方でアジアはどうか。先述のモンゴル人民共和国や中華人民共和国のような「人民」を前面に出す国と、民主カンプチア（現在はカンボジア王国）、ベトナム民主共和国（北ベトナム、南北統一後はベトナム社会主義共和国）、冒頭に述べた朝鮮民主主義人民共和国、ラオス人民民主共和国、王制を廃止したネパール連邦民主共和国、21世紀最初の独立国となった東ティモール民主共和国のように、「民主主義」「社会者主義」「人民」を冠した国が混在している。また、カンボジア王国、タイ王国、ブータン王国、バーレーン王国、ヨルダン・ハシェミット王国といった「王国」を冠した国も存在する。アフリカに関してはこのような冠をつけない「共和国」が圧倒的に多い。

1960年12月の第15回国連総会で「植民地諸国、諸人民に対する独立付与に関する宣言」（通称「植民地独立付与宣言」）が決議された。「人民の自決」を前提にすべての形態の植民地主義の迅速かつ無条件の終結が求められたのである。同宣言は7項からなる。第1項では、植民地主義が国際連合（以下、「国連」と略記）憲章違反であり、世界平和やそのための協力の阻害になっている点を指摘する。第2項では、すべての人民がその政治的・経済的・社会的及び文化的発展を自由に追求できることを謳う。第3項では、独立を遅延する口実を認めないことを規定している。

第4項で、あらゆる武力行動や抑圧手段の行使を停止すると同時に、国土の保全を尊重することを謳う。第5項では、植民地状態にあるような地域の完全な独立と自由の享受に対する人種、信条、肌の色などによる差別なく、すべての権力の移譲を速やかに行うこと、第6項で、国民統一を阻害するような企図が国連憲章の目的とは両立しない点を強調する。最後の第7項では、改めて国内問題への不関与を前提に人民の主権的権利と領土保全の尊重を確認して、国連憲章や世界人権宣言、同宣言各項への厳格な遵守を求めている（薬師寺ほか 2020）。

吉川元は、植民地独立付与宣言に基づく「人民の自決」を訴えて成立した主権国家と、第一次世界大戦後の東欧諸国が主権国家として国際承認を得るうえで、自由主義的民主国家の体裁が求められた点の相違を指摘する。前者の独立の前提となっている「人民の自決」は基本的人権として認識されている。これに関しては、1966年12月採択の「経済的、社会的及び文化的権利に関する国際規約（A規約）」と「市民的及び政治的権利に関する国際規約（B規約）」の国際人権規約で改めて確認された（吉川 2007：54-55）。

A規約は社会権であり、B規約は自由権である。2つの世界戦争を回避できなかった反省を踏まえて、1945年のサンフランシスコ会議で署名された国連憲章の前文では「基本的な人権と人間の尊厳及び価値」を確認し、「一層大きな自由の中で社会的進歩と生活水準の向上とを促進させる」ことを訴え、そのために「すべての人民の経済的及び社会的発達を促進するために国際機構を用いることを決意」したことを述べている（薬師寺ほか 2020）。

また、1948年12月の国連総会第3回総会で採択された世界人権宣言前文においても「人類社会のすべての構成員の固有の尊厳及び平等で奪い得ない権利を認めることが世界における自由、正義及び平和の基礎をなす」ものとし、「人間が言論及び信念の自由並びに恐怖及び欠乏からの自由を享受する世界の到来が、一般の人民の最高の願望として宣明」され、「人権を法の支配によって保護することが不可欠である」と謳っている（薬師寺ほか 2020）。

それでは改めて民主主義の要件とは何かである。植民地独立付与宣言を経て、多くの脱植民地国家が増大し、独立後の内政不干渉原則を掲げる「人民の自決権」が国際的な規範になった。しかし、吉川が指摘するように、欧州の国際関係原則に沿ったCSCE（欧州安全保障協力会議）最終合意文書のヘルシンキ宣言の自決権は、国連友好関係原則宣言（1970年10月）に依拠するものの、「『国内的政治的地位および対外的政治的地位』を『完全に自由に』決定する権利であり、また『政治的、経済的、社会的、文化的発展を追求する』」権利として定義されている。要するに、「自決権」が脱植民地化の援用だけではなく、欧州国際関係で取り入れられるようになり、むしろ「国内統治のあり方を問うような原則に変容した」のである（吉川 2007：56-57）。

このように、第二次世界大戦後に導入されていく民主主義は「人民の自決」を背景にしていた。また、民主主義の原型は古くはアテネの「デーモス」（多数者）の「クラティア」（支配）という語源が示すように、「政治権力が民衆の手中になければならない」ことだった。たとえ民衆が一部のエリートに比べ能力が劣り、権力を握ることで愚行を繰り返しても「アテネの民主主義者たちは、政治権力が民衆の手中になければならぬと主張していた」という。まず、民主主義者たちは「正しいことは多数の者が理解」するという前提で、普通の市民（多数者）の理性と判断力に信頼を置いていたのである（白鳥 1984：214-215）。

次にアテネの民主主義者たちは、「多数者支配（民主主義）とそれを支える自由や平等などの価値理念から、より良い人格と創造的思想が生ずる」と考えた。そして、アテネの民主主義を支えるために「政治参加の権利」や「自分の未来を自分で決定する自治の権利が、人間の本質に関係している」と捉えた。また、民主主義を支える「多数者の支配」を肯定するために「価値としての自由の尊重」と「市民的自由の保障」を重視したのだ。

そして、「多数者支配」が「少数者」の判断より民主主義を促すうえで優れるためには、「⑴ 多数者がそれぞれ問題を別の視点から観察し、⑵ それぞれの判断を相互に比較しあう機会が存在しなければならない」。これらを実現するうえで「⑴ 人格形成の自由、⑵ 言論の自由、⑶ 政治参加の自由」の保障が必要とされるのだ。このうち、民主主義者たちは「言論の自由」を特に重視していたという（白鳥 1984：215-217）。

さらに、アテネの民主主義者たちは「言論の平等」と「法の下の平等」を重視する「法の支配の原理」を主張した。それは、専制政治や寡頭政治が支配者の恣意的な言動に左右されるのに対して、民主政治は確立された「法の支配」の下で政治が運営される点を強調する。そして、「法の支配」は支配者の恣意的な権力行使を排除することで、「責任政治の原理」が保障されることになるのだという（白鳥 1984：218-219）。

白鳥令はアテネの民主主義について、「政治制度としての大衆の支配という点でも、それを支える理論の面でも、単純で幼稚だといえるかもしれない。だが、それは単純なだけに、『多数者の支配』としての民主主義と、この政治を支える価値理念の基本部分を、純粋なかたちでわれわれに示してくれている」と述べる。そして、「現代のさまざまな民主主義理論も含めて、その後の民主主義理論は、新しい時代状況の中に、このアテネの民主主義にあらわれた制度と理論をどう適応させるかの試みだ」と指摘する（白鳥 1984）。

最後に、「多数の支配」や「民衆の支配」に基づく民主主義を考えるうえで有益な理論的分析枠組みを提示したロバート・A・ダール（Robert A. Dahl）のポリアーキー（Polyarchy）に言及しておきたい。ポリアーキーとは、君主制を意味するモナキー（Monarchy）や寡頭制を意味するオリガーキー（Oligarchy）に対立する概念である。したがって、両者との相違からポリアーキーは民主制（Democracy）となる。

ダールは「民主主義の一つの重要な特性は、市民の要求に対し、政府が政治的に公平に、つねに責任をもって応えること」であると述べる。次に「政府が、長い期間、政治的に平等とみなされる市民の要求に対し、責任をもって応えつづけるためには、以下のことをする完全な機会が与えられていなければならない」と、3つの要件を提示する（ダール 1981[2]：6-8）。

1. 要求を形成する機会。
2. 個人的あるいは集団的行動を通じて、同輩市民や政府に対し、その要求を表現する機会。
3. 政府の対応において、これらの要求を平等にとり扱わせる機会。すなわち、その要求内容や要求する人間を理由に差別的にとり扱わせないこと。

さらに、これら3つの民主主義の必要条件を満たす国民国家を形成するうえで、多数の民衆に担保されなければならない8つの社会的諸制度を指摘し、表1-1のようにまとめている（ダール 1981：7）。

ダールは以上の3つの要件を実現するうえで必要な8つの条件を基にした、包括性（参加の権利）と異議申し立ての機会（自由化）と

表 1-1　多数の民衆の間に民主主義が生まれる必要条件

以下のような機会に対して	以下のような制度上の保障が必要とされる
Ⅰ．要求を形成する	1. 組織を形成し、参加する自由　2. 表現の自由　3. 投票の自由　4. 政治指導者が、民衆の支持を求めて競争する権利　5. 多様な情報源
Ⅱ．要求を表現する	1. 組織を形成し、参加する自由　2. 表現の自由　3. 投票の自由　4. 公職への被選出権　5. 政治指導者が、民衆の支持を求めて競争する権利　6. 多様な情報源　7. 自由かつ公正な選挙
Ⅲ．政府の対応において要求を平等に扱わせる	1. 組織を形成し、参加する自由　2. 表現の自由　3. 投票の権利　4. 公職への被選出権　5. 政治指導者が、民衆の支持を求めて競争する権利　6. 多様な情報源　7. 自由かつ公正な選挙　8. 政府の政策を、投票あるいはその他の要求の表現にもとづかせる諸制度

出典：ロバート・A・ダール（1981）『ポリアーキー』高畠通敏・前田脩訳、三一書房、7頁

いう2つの次元から、ポリアーキー、つまり民主化の度合いを考えた。縦軸に「公的異議申し立て（自由化）」を、横軸に「選挙に参加し公職につく権利（包括性／参加の権利）」をとり、両者を完全に満たす領域がポリアーキー（民主主義）になる。その真逆となる、両者を欠いた領域が「閉鎖的抑圧体制」になる。また、閉鎖的抑圧体制から「公的異議申し立て」を高めて上方に移動する場合は自由化を促す（経路Ⅰ）。また、「選挙に参加し公職につく権利」を許容する方向に移動すれば民主化を促す（経路Ⅱ）。経路Ⅲは「かなりの程度民主化され、かつ自由化された体制」としてのポリアーキーに至る道だという（ダール 1981：10-13）。

ダールはこれら4つの領域を前提に3つの問題設定を行っている（ダール 1981：14）。「1、抑圧体制、あるいは準抑圧体制の民主化の機会は、いかなる条件の下に増大あるいは減少するか。2、さらに限定すれば、どのような要因が、公的異議申し立ての機会を増大あ

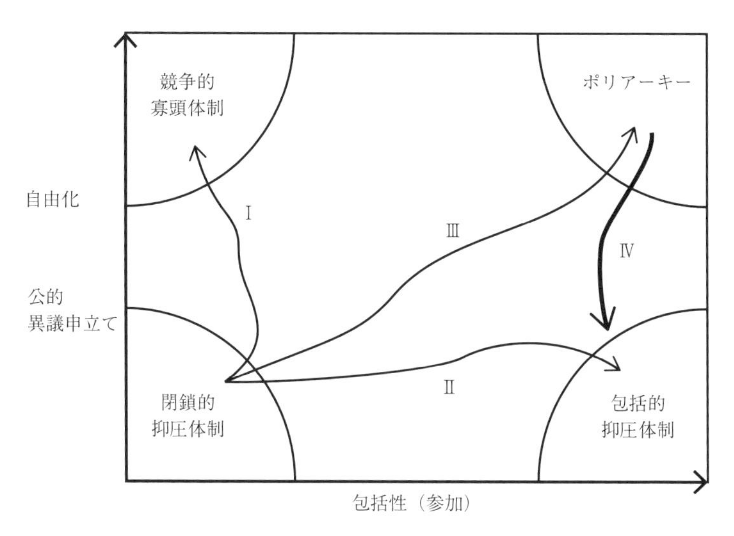

図1-1　自由化、包括性、民主化

※なお、Ⅳの太線は筆者が挿入
出典：前掲『ポリアーキー』11頁

るいは減少するか。3、さらにより限定すれば、どのような要因が、高度に包括的体制における公的異議申立ての機会を増大あるいは減少するか。すなわちポリアーキーを実現するもの、あるいはさまたげるものは何か」。

このダールの問題設定は現在進行形の民主主義を考えるうえでも重要な示唆を与えてくれる。「多数者の支配」はアテネ以来継承されてきた「民主主義」の基本概念である。本章の問題意識は、「ポリアーキー」の領域が拡大しているか否かというものである。現代社会をみると、ダールも指摘するように「今日の世界の圧倒的多数の国家の体制は、事実上中央域に入る」。つまり、経路Ⅰ・Ⅱ・Ⅲの途中域に存在する政治体制になるが、筆者の問題意識からはポリアーキー域から包括的抑圧体制へ移動する新たな経路Ⅳの流域に存在する政治体制が増大しているのではないかと考える。

換言すれば、選挙が実施され、人々の投票行動という参加は認められるけれども、公的異議申し立てができない、つまり自由が制約されたり、奪われたりしている国々が増大していることである。次節では、自由と民主主義が結合した自由民主主義（リベラル・デモクラシー）とは何かを改めて確認してみたい。

2.「自由民主主義（リベラル・デモクラシー）」の揺らぎ

田中浩は、リベラル・デモクラシーの起源は曖昧だが、この用語は経済学で使う「市場経済」「自由放任」「私益と公益の調和」などの近代経済学的リベラリズムと、すでに前節でみてきたような「人民全体が政治に参加すること」による「平等」や「平和な社会」を担保する政治的デモクラシーの思想が結合した意味をもっていると指摘する（田中 2013：12）。

また、田中は「リベラリズム」そのものの根本思想は 17・18 世紀の市民革命時代における「リバティ」（自由）にさかのぼると述べる。ピューリタン革命期の「リバティ」は「人間の生命を危険に陥れ、自由を外的に拘束する絶対主義的・軍国主義的・教皇主義的・封建主義的政治に反対し、これらの圧力から解放された状態を意味し」、それを前提に「『人身の自由』『思想・言論の自由』『宗教の自由』が主張され、さらにこうした『基本的自由』(自然権)である自由の諸原理を保証する」うえで、「『平和』の確保が絶対条件である」とされてきた経緯を田中は語っている(田中 2013：13)。

リベラリズム(自由主義)には、国家の政治的な制度に着目した政治的リベラリズムと市場を通じた経済的リベラリズムの両面がある。前者には国際機関をはじめ各種の国際条約などで国際的課題に対処する制度的リベラリズムと民主的平和論があり、後者には国際経済における貿易・投資の拡大による相互依存が背景にある。このリベラリズムと人々の政治参加の両者が接合された概念としてリベラル・デモクラシーが存在するのである。しかしながら、その目的は国際社会の「平和」の構築であることを忘れてはならない。

次に、最近「リベラル・デモクラシー」の世界的な後退に危惧の念を抱き『民主主義を救え!』(*The People vs. Democracy*: *Why Our Freedom Is in Danger and How to Save It*)を著したヤシャ・モンク(Yascha Mounk)の概念に触れたい。モンクはすでに述べてきたダールの概念定義が自由の権利とデモクラシーを混同していると指摘する。モンクは、それを前提に自らの定義を以下のように示す(モンク 2019：29)。

・デモクラシーとは、民衆の考えを公共政策へと実質的に転換できる拘束的な選挙による制度/機関のことである。
・リベラルな制度/機関は、すべての市民の表現、信仰、報道、結社の自由(民族的・宗教的少数派を含む)といった、個人の権利や法の支配を実質的に守るものである。
・リベラル・デモクラシーとは、単にリベラルでデモクラティックな政治システムのことである。それは個人の権利を守る一方､民衆の考えを公共政策へ転換するものである。

要するに、「リベラル・デモクラシー」とは「個人の権利を守る一方、民衆の考えを公共政策へと転換するものである」。しかしながら、現代の国家を見回すと、「リベラル・デモクラシー」機能が後退しているとモンクは指摘する。つまり、「さまざまなデモクラシーは非リベラルになり得る」こと、逆に「リベラルな諸制度は、定期的かつ競争的な選挙があっても非民主的になり得る」という点を彼は強調する（モンク 2019：30)。

モンクは、リベラリズムとデモクラシーは「技術的、経済的、文化的前提から偶発的に結び合わされたもの」であり､ゆえに現在「結び目が急速に解けかかっている」と指摘する。要するに、「個人の権利と民衆支配というユニークな混在」が互いに分離しているというのだ。その結果､「非リベラルな民主主義」（権利なきデモクラシー）と「非民主的なリベラリズム」（デモクラシーなき権利）の２つの新しい体制に分類できるという（モンク 2019)。モンクは「権利なきデモクラシー」と「デモクラシーなき権利」のマトリックスを図1-2のように示している（モンク 2019：37, 64)。

次に、図1-2にある権威主義の一般的定義を確認しておきたい。

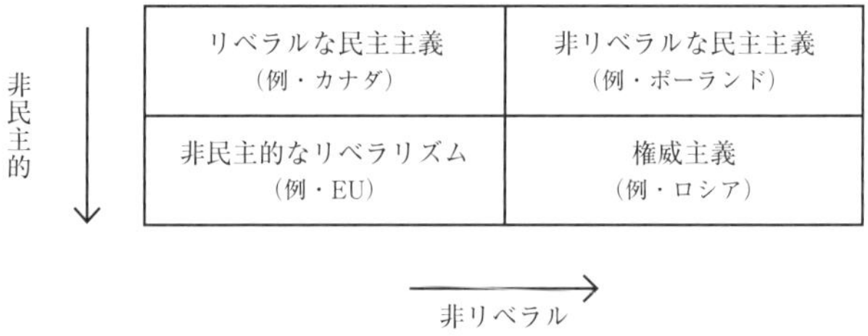

非民主的↓

リベラルな民主主義 （例・カナダ）	非リベラルな民主主義 （例・ポーランド）
非民主的なリベラリズム （例・EU）	権威主義 （例・ロシア）

→非リベラル

図 1-2 「権利なきデモクラシー」と「デモクラシーなき権利」

出典：ヤシャ・モンク（2019）『民主主義を救え！』吉田徹訳、岩波書店、37、64 頁（Yascha Mounk, *The People vs. Democracy：Why Our Freedom Is Danger and How to Save It*, Harvard University Press, 2018.）

フアン・ホセ・リンス（Juan José Linz）は『全体主義体制と権威主義体制』で民主主義政治体制と非民主主義政治体制を比較する。前者は「結社、報道、通信の基本的自由権の行使を通じて、定期的に非暴力的手段で支配要求を正当化するための指導者間の自由競争が行われ、それによって、政治的選好の自由な形成がなされる政治システム」（リンス 1995：13）だと定義する。

また、民主主義政治体制は、単一政党制か複数政党制という基準では必ずしも測ることはできず、権力の交代に関しても一つの指標にはなるものの、必要条件にはならないと述べている。

それではリンスが非民主主義的政治体制と位置づける権威主義政治体制とは何か。リンスの 1970 年の論文（Linz 1970）に依拠して恒川恵市は「政策形成に関わる主体が国家の『認可』を受けた少数の人間や集団に限られ、一般大衆に対する積極的で恒常的な動員の努力も、体制を正統化する洗練された体系的イデオロギーも見られない政治体制である」と定義する。

また、「国家は政治参加を許された個人や集団に対しては、必ずしも明示的でないにしても、予測が十分に可能な政策形成上の手続きを保証するが、一般大衆に対しては『国民的統合』や『社会的協調』の必要性を説くことによって、国家の政策を受動的に受け入れさせようとする」政治体制として、権威主義政治体制をまとめている（細野・恒川 1986：280）。

なお、今後の議論の中心になる東南アジア諸国ではむしろ経済成長を担保にした権威主義的な政治体制を「開発独裁」や「開発体制」と呼ぶ場合もある。岩崎育夫は「開発体制」の特徴として、第 1 に政権の制度や政策が経済開発に重きを置いていること、第 2 に中央集権的な行政システムが築かれ、官僚テクノクラートが中心に市場介入などの経済開発政策を担う国家主導型の体制であること、第 3 に経済開発を担保するうえで政治的には権威主義体制をとっていること、第 4 に議会制民主主義を形式的には導入しているが実質的に

表 1-2　東アジア・東南アジアにおける民主主義の形態

リベラルな民主主義	非リベラルな民主主義
東ティモール、インドネシア、フィリピン、日本、韓国	シンガポール、マレーシア
非民主的なリベラリズム	権威主義
タイ、ミャンマー ➡ ？	カンボジア

＊ベトナム、ラオス、中国、北朝鮮は一党独裁体制。
＊ブルネイ・ダルサラムは絶対君主制度。
＊ミャンマーは軍事クーデター後の政治体制が注目される。
出典：ヤシャ・モックの図 1-2 に基づいて、筆者作成。

表 1-3　東アジア・東南アジア・南アジアの自由度（2019 年の評価）

自由度	国名（ ）内は PR と CL に基づく自由度評価指数
Free（自由）	日本（96）、モンゴル（84）、韓国（83）、東ティモール（71）、インド（71）
Partly Free（部分的に自由）	インドネシア（61）、モルディブ（60）、フィリピン（59）、ブータン（58）、ネパール（56）、スリランカ（55）、マレーシア（52）、シンガポール（50）、タイ（32）
Not Free（自由のない政治体制）	ミャンマー（30）、ブルネイ・ダルサラム（28）、カンボジア（25）、ベトナム（20）、ラオス（14）、中国（10）、北朝鮮（3）

＊自由度評価指数は 100 が最高評価で、0 が最悪評価になる。
＊ミャンマーは 2019 年度の評価が前年の「Partly Free」から「Not Free」に下がっている。ロヒンギャ問題への評価が反映しているが、2020 年 11 月 8 日実施の選挙結果を不満に、2021 年 2 月 1 日に国軍がクーデターを起こしたことから、「Not Free」の評価は変わらないことが予想される。逆にタイは依然国軍の影響力が強いものの、民政移管で選挙が実施されたことでミャンマー とは逆の評価を受けている。
出典：Freedom House, *Freedom in the World Countries 2020*.

は軍や政党が権力集団を形成しているという 4 点を満たしている政治制度であると述べている（岩崎 1994：8）。

図 1-2 のモンクの政治体制論を援用して、筆者が民主化に取り組んできたアジアでの民主主義の構図を表 1-2 で分類してみよう。まだ未加盟の東ティモールを含めて ASEAN（東南アジア諸国連合）10 ヵ国と東アジア諸国を分類してみると表 1-2 のようになる。

本章の最後に、世界の自由と民主主義の評価を毎年公表している国際 NGO のフリーダム・ハウスの指標を紹介しておく。「自由で公正な普通選挙実施」「政治過程への自由な参加」に基づく政治的自由度（Political Rights: PR）と、「表現・信仰・結社などの基本的人権」に基づく市民的自由度（Civil Liberties: CL）の２つの指数を基に、「政治的な自由」（Free）を行使できる諸国、「部分的な自由」（Partly Free）のみを得られる諸国、「自由が認められない諸国」（Not Free）の３分類でまとめられている。東アジア・東南アジア諸国を自由度で分類すると表1-3のようになる。

なお、ミャンマーは2020年11月の連邦選挙結果への不満を理由に、軍事クーデターを引き起こしたため、今後の「自由度」の評価に影響する可能性が高い。引き続き、国軍の動向が注目される。

第2章 「走錨する民主主義」

1. なぜ「民主主義」は走錨するのか

第1章では、リベラル・デモクラシー（自由民主主義）の理論的枠組みを確認した。日本では第二次世界大戦後に、アメリカ主導の連合国軍最高司令官総司令部（GHQ）から求められたさまざまな改革を前提にした民主主義が導入され、それには自由主義も含められていた。つまり、日本でいう民主主義は自由民主主義、すなわちリベラル・デモクラシーを意味していた。

リベラル・デモクラシーに関しては、すでに前章で田中浩の議論を紹介したように、市場経済や自由放任主義などを意味する近代経済的リベラリズムと、人々が自由に政治参加を行う平等、さらに平和な社会を担保する政治的デモクラシーの接合を意味している（田中 2013：12）。まず、第二次世界大戦後に導入されていく市場経済に裏づけされた近代経済的リベラリズムの源流をたどってみる。

戦後の国際経済秩序における市場経済は、ブレトン・ウッズ会議に基づくIMF=GATT体制で強化される。通貨の番人と呼ばれる国際通貨基金（IMF）、戦後復興を支えた国際復興開発銀行（IBRD）、世界の自由貿易を推進する関税貿易一般協定（GATT）は、アメリカ主導の国際経済秩序に基づくワシントン・コンセンサスとして知られている。その後、IBRDは世界銀行へと再編され、GATTはマラケシュ協定に基づき1995年1月に世界貿易機関（WTO）へと発展的に解消された。

第二次世界大戦後の世界は、アメリカ主導の西側自由資本主義とソビエト連邦主導の東側社会主義・共産主義の東西冷戦下にあった。

しかしながら、東西冷戦時代におけるリベラル・デモクラシーは西側諸国の共通するイデオロギーとして明確だった。さらに、冷戦の象徴だったベルリンの壁が1989年に崩れ、ソ連の崩壊とそれに続く東欧の民主化でリベラル・デモクラシーの流れは急速に欧州全土へと拡散していく。

国際政治の流れは、冷戦時代の現実主義から理想主義、自由主義へと進むかに思われた。しかしながら、ジェニファー・ウェルシュ（Jennifer Welsh）が指摘するように『歴史の逆襲』（*The Return of History*）が国際社会には待っていたのである。ウェルシュは、1989年に出版されたフランシス・フクヤマ（Francis Fukuyama）の『歴史の終わり』で示された「西側の自由民主主義は、人類統治の最終形態として普遍化された」という考え方がいかに楽観的だったのかと述べる。

冷戦後の国際社会ではフクヤマの指摘したように、自由民主主義国家の増大を背景に国連中心の多国間による国際協調主義が受け入れられ、国連の役割と期待が高まった。ところが、2010年以降に西側主導の自由民主主義モデルは「根源的な脅威」に直面していく。フクヤマが予言した「歴史の終わり」という平和への道筋が崩れていくことになる。

ウェルシュが展開する「歴史の逆襲」とは何か。第1にイスラム国（ISIS）の出現などによる国際人道法に逆行する「蛮行への回帰」、第2に欧州を襲う前例のない難民・移民問題という「大量難民への回帰」、第3にロシア連邦大統領ウラジミール・プーチン（Vladimir Putin）の地政学的復権を背景にした「冷戦への復帰」、最後の第4に西側自由民主主義国内で拡大する経済的不平等による「不平等社会への回帰」を指している（ウェルシュ 2017：40-41）。

2. 中国の台頭で分断される「自由主義」と「民主主義」

ウェルシュの4つの転換点にもう1つ付け加えなければならない

のは、中国の台頭だろう。2012年に中国共産党総書記、13年には国家主席に習近平が就任した。中華民族の偉大な復興をめざし、かつての革命軍から国防軍へと軍の近代化を進め、中国はいまやアメリカに次ぐ海軍・空軍を擁している。習近平は社会主義現代化強国を掲げ、政治的には共産党の一党独裁を強化する一方で、経済的には社会主義市場経済という名の西側諸国と同様の市場経済を積極的に導入する。

中国が政治的に共産党一党独裁であり、政治的自由がないことは第1章ですでにみてきた。本章の関心事は、「走錨する民主主義」を引き起こす原因、すなわち中国の世界第2位の経済力とそれを背景にした援助政策が自由民主主義を掲げていた国家の「自由」度を後退させ、形骸化した選挙を実施する「民主主義」国家を増大させていることである。つまり、名目だけの「民主主義」を掲げる片肺飛行になるか、あるいは権威主義政治体制へ移行する助走国家が増えているのだ。

中国の経済援助は習近平が推進する巨大経済圏構想「一帯一路」政策である。「一帯一路」政策は単に経済圏構想のみならず、習近平の新しい対外開放政策の一環として捉えられる。同政策が進める周辺諸国へのインフラ整備支援は、シルクロード基金、アジアインフラ投資銀行（AIIB）、BRICS（ブラジル、ロシア、インド、中国、南アフリカ）の5ヵ国が主体となる新開発銀行が中国主導で設立され、かつてのアメリカ主導のマーシャル・プランになぞられて「中国版マーシャル・プラン」とも呼ばれるようになった（関志雄 2018：160-169）。

ここで「一帯一路」構想の地理的範囲を確認しておきたい。同構想は「シルクロード経済ベルト」地帯を形成する陸上ルートが「一帯」であり、「21世紀海上シルクロード」が「一路」に該当する。両者が合わさって「一帯一路（One Belt One Road：OBOR）」構想（BRI）になっている。前者は2013年9月の習近平国家主席のカザフスタン公式訪問時に発表され、後者は同年10月のインドネシア公式訪問時の講演に際して発表されている。そして、「一帯一路」構想は同年11月12日の共産党第18期中央委員会第3回全体会議で採択された。

関志雄は「一帯一路」の対象地域を示している。まず「シルクロード経済ベルト」では①中国西北、東北から中央アジア、ロシアを経て欧州、バルト海に至るもの、②中国西北から中央アジア、西アジアを経てペルシア湾、地中海に至るもの、③中国西南からインドシナ半島を経てインド洋に至る3つのルートがある。また、「21世紀海上シルクロード」は①中国の沿海部から南シナ海を通り、マラッカ海峡を経てインド洋に至り、欧州へ延伸するものと、②中国の沿海港から南シナ海を通り、南太平洋へ延伸する、2つのルートからなる（関：162）。

さらに、これら5つのルートに基づき中国では「六廊六路多国多港」という協力の枠組みが存在すると関は述べる。すなわち「六廊」とは6大国際経済協力回廊を意味し、新ユーラシア・ランドブリッジ、中国・モンゴル・ロシア、中国・中央アジア・西アジア、中国・インドシナ半島、中国・パキスタン、バングラデシュ・中国・インド・ミャンマーの経済回廊になっている。

次の「六路」は鉄道、道路、海運、航空、パイプライン、情報網のインフラの相互接続を指し、「多国」は「一帯一路」沿岸諸国との平等な互恵協力の先行協力諸国を示すことで成果を強調し、他方で海上輸送主要ルートの安全性や円滑さを担保する一群の重要港と連なる都市を構築することも含む。「多港」とはこれら一連の海上協力を含んでいる。

中国は主として「一帯一路」沿岸の途上国を対象に政府主導のインフラ建設の展開を進めると同時に、当該諸国の制度改革も行うことでビジネス環境の向上を推進している。「六廊」が示すように、「一帯一路」構想は、一部欧州地域も連結するアジア全体を包括する世界経済の牽引とグローバル化の担い手を期待されているのだという（関：162-165）。

しかしながら、「一帯一路」沿岸諸国にとって同構想に対する経済的期待と政治的脅威は表裏一体の関係にある。国連事務総長や世界銀行総裁を含む約130ヵ国、約70の国際機関から1500名が参加して開催された2017年5月の第1回「一帯一路」国際協力サミットフォーラムと19年4月に開催された第2回フォーラムを比較すると、確かに参加国（150ヵ国）、参加国際機関（92機関）、参加人数（6000人以上）が増大し、「一帯一路」構想の存在と影響力は確実に高まっているといえるだろう。

ただその一方で、特に2017年後半頃から「中国債務の罠」や「新植民地主義」という中国に対する批判的な声がOBOR構想の沿岸諸国から湧き上がってきた。アメリカの研究機関「世界開発センター」（CGD）によると、中国は欧州、アフリカ、アジアの68ヵ国を含む巨大なネットワークを背景に運輸、エネルギー、通信インフラに8兆ドルの投資を行う一方で、その68ヵ国中の23カ国が債務危機の状況にある（CGD 2018）。

また、CGDは上記23ヵ国中で、東南アジアではカンボジアとラオス、東アジアのモンゴル、南アジアのスリランカ、ブータン、モルディブ、パキスタン、中央アジアのキルギスタンの8ヵ国が極めて脆弱な債務状況下にあると指摘する。特にパキスタンとモルディブの債務は「一帯一路」関連の対中債務が理由であるという（CGD2018：2-8）。

「債務の罠」が大きな注目を浴びる契機は、スリランカのハンバントタ港の重債務問題だった。スリランカ政府が債務返済の目処が立たないことを理由に、ハンバントタ港の運営権を99年間中国企業に貸与する契約を結び、その契約料の約11億ドルを返済に当てたのである。このことは、今後も80億ドル以上の返済を続けるという「債務の罠」の象徴的な事例となっている（佐野2019：75）。スリランカは「21世紀海上シルクロード」上にあり、「多港」の範疇に入っている。

モルディブも地政学的に「真珠の首飾り」に位置する安全保障上の重要な国家である。モルディブは「一帯一路」構想の要衝であり、中国からの多額の負債を抱えていることもスリランカと同様である。2018年9月の大統領選挙で親中派大統領から親インド派大統領への政権交代が実現した背景には、当然中国からの「債務の罠」問題があったことは想像に難くない。

それでは東南アジア諸国はどうか。カンボジアとラオスが中国からの経済援助に依存する割合はCGDのレポートから確認できる。ラオスは一党独裁政治体制である一方で、カンボジアは権威主義政治体制に分類される。しかしながら、国会は上院と国民議会（下院）の二院制を敷いている。5年ごとに国民議会選挙を実施しているが、2018年7月の国民議会選挙ではフン・セン首相率いる人民党が全議席を獲得した。前回の13年国民議会選挙で躍進を果たした最大野党の救国党が17年の最高裁判決で解党命令が下され、同党指導者も追放や勾留されるなどして、18年選挙に参加できなかったことが人民党の全議席の獲得につながった。上院でも全議席を占めていることから、カンボジアは現在事実上の人民党一党専制の政治体制下にある。

非リベラルな民主主義体制からいまや権威主義政治体制下にあるカンボジアの2018年7月国民議会選挙に対して、関税優遇措置を適用してきた欧州連合（EU）をはじめとする西欧諸国から激しい批判が起きた。EUはフン・セン政権の人権侵害に対する経済制裁として、20年2月に関税優遇措置の一部停止を決定している。カンボジアの総輸出額の45%（2018年）がEU向けだったことを考えると、特に主力産業の縫製業は大きな打撃を受けるはずである（『朝日新聞』2020年2月14日）。EUは今後の人権状況の改善をフン・セン政権に期待しているものの、依然として中国の巨大な経済支援を背景に大きな進展がみられない。

カンボジアに対する中国の投資をみると、1994年から2010年までが38%で、次の韓国の19%に比べても大きな額であることがわかる。中国の援助額は10年には日本を抜き、近年では日本の約4倍の規模となっている。10年から16年までの累計でも中国の援助比率は28%で高い状態にある。中国の投資内容は、資源関連以外にリゾート開発、ホテル、カジノなどの観光分野に関わる不動産投資や、縫製業などの労働集約産業への投資が多く、プノンペンからシアヌークビルに至る地域には数多くの中国企業が存在している（稲田 2020：169-170）。その一方、土地の強制的な立ち退き問題も起きている。

このように、カンボジアにおける中国の「内政不干渉」を前提とする大規模な援助や経済的プレゼンスが、フン・セン体制の権威主義化をいっそう強化させている。国民議会選挙は行われているものの、フン・セン率いる人民党の一党専制体制は彼自身の独裁体制までをも担保する。経済制裁も視野に欧米諸国が求めるカンボジアの民主主義への牽引は、むしろ走錨する船のようにますます民主的体制から遠ざかっていく状況下にある。

逆に民主主義に引き寄せられる国もある。マレーシアは2018年5月の下院議員選挙で建国後初めて与党が敗北し、政権交代が実現した。しかも、マレーシアの権威主義体制を長期にわたって指揮したマハティール・ビン・モハマドが野党連合の首相候補として与党を破ったのである。政権交代の直接の要因はナジブ・ラザク前政権の中国絡みのスキャンダルだった。

マハティールは、選挙期間中にナジブの過度の中国依存に対して、「ナジブは中国に国を売っている」と厳しく批判し、首相就任後、「一帯一路」案件であるマレーシアとシンガポールを結ぶ「東海岸鉄道」と中国が主導する2つのパイプライン敷設の大型事業の中止を表明した。さらに、ナジブが設立した国営投資会社1MDB（1 Malaysia

Development Berhad）の巨額負債、ナジブ一族の不正疑惑と、債務負債穴埋めや中国の援助との関連疑惑なども持ち上がった。これらの批判に対してナジブ政権は首相の人事権の濫用、反ナジブ派に対する締め付け、市民社会への統制強化など、強権的な政治手法で対応した。

「2020年までに先進国入り」をめざしたマレーシアは労働コストが高まる一方で、生産性向上や産業構造の転換が進まないことで成長率が下がるという「中所得の罠」に直面し、ナジブ政権は急速に中国への依存度を高めていくことになった。2006年の輸出入の合計額は第1位がアメリカだったものの、09年には中国が第1位になり、この10年間をみるとマレーシアの対中国貿易額は約2.5倍になっている（金子 2020：228-229）。

「海のシルクロード」の要衝となるマレーシアは、習近平の「一帯一路」構想を支持する一方で、同主席のマレーシア訪問時に軍事協力を含む「包括的・戦略的パートナー」へと中マ関係を緊密化させた。それを受けて「一帯一路」構想に基づく鉄道、港湾、不動産、鉄鋼、金融、IT、電子商取引、太陽光発電、製薬などを含む大型プロジェクト事業が始まった。そして、目玉事業となったのが、東海岸鉄道建設、首都クアラルンプールの「バンダル・マレーシア」開発、マラッカ・ゲートウェイ計画だった（金子 2020：231）。

このような対中依存・傾斜の状況下で、ナジブ政権のさまざまなスキャンダルが発覚したのだ。マハティールの激しいナジブ政権批判と国民の怒りが盛り上がるなかで、2018年下院議員選挙の実施を迎えた。ナジブ政権の「フェイクニュース対策法」などの事実上の選挙妨害はあったものの、マレーシアではイギリス統治以来の民主主義制度が機能して、建国後61年目で初めて政権交代が起きた。マレーシアの政権交代は、ナジブ政権下の権威主義政治体制が民主主義へと引き寄せられた事例といえるだろう。

ただ、金子芳樹が指摘するように、マハティール政権の対中国観はナジブ政権下の過度の依存を問題視するというものであり、マレーシアの開発戦略上、決して中国の援助が不要であることを意味しない。例えば、2018年8月に訪中したマハティールは東海岸鉄道と2つのパイプライン建設の中止を李克強首相に伝えたものの、結果的には両国間の協議で20年5月までの鉄道事業の縮小や延期と対中国への賠償金の支払いが決まっている。マハティールは中国の圧倒的な経済力を前提に、むしろ戦略的視野から国益に沿うように経済関係を構築していくものと思われる（金子2020：240-241）。

マレーシアは選挙を通じて、権威主義化していく政治体制を民主主義に引き寄せた事例といえるだろう。ただ、非リベラルな民主主義から自由民主主義（リベラル・デモクラシー）にまで到達するのかはまだ不透明である。2020年3月1日にマハティールの首相辞任を受けて、ムヒディン・ヤシンが首相に任命された。今後の展開は不透明だが、新体制がイスラム政党との連携を意図していると言われていることから、民主主義がかつての非リベラルな民主主義に引き寄せられる可能性も否定できない。

同様に注目されるのがミャンマーではないだろうか。ミャンマーは1998年9月から2011年3月までの軍事政権時代に欧米諸国から経済制裁を科されていた。その間の最大の支援国が中国であり、経済的な依存度は増大していった。11年3月に23年ぶりの民政移管がテインセイン新政権で始まり、経済制裁の解除とともに「アジアの最後のフロンティア」と称されたことで、欧米諸国からも援助と投資が行われるようになった。

テインセイン大統領は、長い国境線を有する隣国である中国の政治的・経済的・外交的な存在感に安全保障上の脅威を感じていた。そこで、軍事政権時代から続く中国に対する過度の経済依存の是正を図ることになる。まず、2009年に軍事政権と中国企業がカチン州のイラワジ川上流で着工したミッソンダム建設を地元住民らの環境保護運動を背景にして凍結した。さらに、事業費の縮小、運営会社に対するミャンマー側の出資比率の引き上げなどを通じてチャオピュー港整備の見直しも行った。

このような中国への依存度を低減していく流れのなかで、2015年11月に実施された連邦国民議会選挙でアウンサンスーチー率いる国民民主党（NLD）が勝利し、いっそう民主化が加速していくものと思われた。しかしながら、国家顧問に就いたアウンサンスーチーはむしろ中国への再接近が窺える。例えば、中国向けの輸出総額は10年の6.2％から17年には38.9％に急上昇し、同年の輸入相手国として中国は31.8％で、第2位のシンガポールの15.2％と比較すると約2倍になっている。また、同時期の国境貿易額においても中国が80.4％であり、圧倒的なシェアを占めている（工藤2020：207-210）。

中国の「一帯一路」構想において、インド洋に面するミャンマーは交易路の確保と資源安全保障の観点から重要である。雲南省昆明から国境を越え、北部シャン州からマンダレー、首都ネピドーを経由してラカイン州チャオピューへ至る高速道路建設は、天然ガスと原油を引くパイプラインの起点でもあり、中国にとってはもっとも重要なプロジェクトとなっている。

他方で、アウンサンスーチー国家顧問もそのことを十分に理解するとともに、中国との交渉の優位性を維持しているものと思われる。ただその一方で、ラカイン州チャオピューは現在国際社会から大きな注目と批判が投げかけられているロヒンギャ問題の中心地でもある。中国の内政不干渉原則、いわゆる「北京コンセンサス」に基づく経済支援は国際社会から孤立する同政権にはこの上ない強力な支援だと考えられる。

とはいうものの、中国の過度な経済援助がもたらす「債務の罠」は、すでにスリランカの経験から理解している。ロヒンギャ問題があるものの、ミッソンダム建設の凍結など、すでにミャンマー側からの異議申し立ての経験もあり、中国との再交渉の権利は維持している。中国もミャンマーとの関係性を重視するうえで財政の持続性、事業の透明性、インフラの質などの配慮に気を配っている。したがって、ミャンマー側に依然として交渉能力があると考えられる（工藤 2020：217-222)。

ミャンマーの事例から考えられる民主主義の現状は、依然として上院・下院の議会における25%枠が軍に振り分けられる影響は大きいが、政権交代が可能という点では民意に基づく選挙が実施されるようになった。ただ、経済成長は鈍く、1人当たりのGNI（2017年で1251米ドル）は東南アジア11ヵ国で最低である。それを考えると、中国からの援助に対する期待は拭えない。権威主義政治体制からは脱したものの、いまだ非民主的なリベラリズムの状況下にあり、自由民主主義への移行段階であるのかは見極めが必要だろう。

2020年11月にコロナ禍のなかで連邦議会選挙が実施された。大方の予想を超えてNLDは前回選挙を上回る議席を獲得した。NLDの圧倒的な知名度と、かつ軍政への回帰を恐れた有権者の選択だったと推測される。しかしながら、依然として軍の影響力を背景に上下両院における軍人枠はそのままである。国軍との力関係が政権運営の足かせになっている。現ミャンマー国軍最高司令官ミンアウンフラインは改めて軍の政治関与の必要性と軍人枠を有する憲法の改正には否定的な見解を述べている（『朝日新聞』2020年11月6日インタビュー記事)。今後とも非民主的なリベラリズムから自由民主主義への移行に向けたアウンサンスーチーとNLDの緻密な戦略が試されることになる。

しかしながら、アウンサンスーチーとNLDの戦略が功を奏する前に、2020年11月にミャンマー国軍によるクーデターが起きた。国軍の弾圧で民主主義を支持する多くの民間人の犠牲者が発生しているが、21年4月現在においても内政不干渉原則を理由に中国とロシアは国連安保理による法的拘束力を有する制裁決議の採択には賛成していない。特に中国においては前述のようにミャンマーとの多くの利害関係を有する点から、今後欧米主導の制裁措置とどのような妥協点を見出していくのかが注目される。

「走錨する民主主義」の観点から、他の東南アジア諸国で中国の影響を受けている国々にも若干触れておきたい。まずフィリピンでは、1986年2月に権威主義的強権政治を敷いていたフェルディナンド・マルコスの不正選挙に立ち上がった市民が、いわゆる「ピープル・パワー」で同政権を倒して自由民主主義を奪還した。それ以来、フィリピンは東南アジアを代表する自由民主主義国家となった。しかしながら、対中国強硬派だったベニグノ・アキノ3世から、2016年にロドリゴ・ドゥテルテへ政権が代わったことで対中国関係に変化が出始めている。

アキノ政権下の2016年7月に、南シナ海における中国との領有権問題に関する常設仲裁裁判所（PCA）の判決が下された。中国の進める埋め立て地域が岩礁であり、排他的経済水域（EEZ）にも大陸棚にも該当せず、中国の行為は国連海洋法（UNCLOS）に違反しているとの判断だった。中国はPCA裁定に反発する一方で、領有権争いを有する諸国との2国間での交渉姿勢に転じた。また、「南シナ海に関する関係国の行動宣言（DOC）」を発表することで、ASEAN諸国との平和的解決を訴える戦略をとった。

2016年にアキノ政権を引き継いだドゥテルテ大統領はむしろ領有権の主張を抑制して親中派を装い、中国からの経済支援を引き出すことを目論んだ。19年4月の北京で開催された第2回「一帯一路」国際協力ハイレベルフォーラムに出席したドゥテルテ大統領は、習国家主席、李首相との会談を通じて、エネルギー開発、インフラ整備、食品生産、通信などの総計120億ドルの商取引を行った。他方、同年6月には中国電力建設集団有限公司が「一帯一路」に関連する電力、鉄道、高速道路など、30億ドルにのぼる11の開発プロジェクトを発表している（庄司2019）。

なぜアキノ政権とは異なり、このようにドゥテルテ大統領は中国との経済協力を重視していったのか。もちろん雇用の促進と経済成長を追求したことは確かであるが、他方でドゥテルテの「麻薬戦争」と称される強引な薬物犯罪捜査に対する欧米諸国からの人権侵害批判への反発もあった。国際刑事裁判所（ICC）は、ドゥテルテの違法薬物の取り締まりで多くの容疑者が警察や自警団によって超法規的に人権が侵害されていることを「人道に対する罪」として訴追した。これに反発してドゥテルテは2019年3月にICCからの脱退を通知した。

自由民主主義が機能しているフィリピンでは、ICC脱退に対する批判が国際人権団体ヒューマン・ライツ・ウォッチ（HRW）などのNGOや国内世論からも当然起きている。このような状況下で、ドゥテルテにとっては内政不干渉原則に基づく中国の支援が受け入れやすいのは想像に難くない。NGO（非政府組織）の活動が根づいているフィリピンでは容易にリベラル・デモクラシーが非民主的リベラリズムや非リベラルな民主主義政治体制へと曳航されることは考え難いが、やはり人権を侵害するような薬物犯罪捜査の容認は懸念すべき行為であり、自由民主主義を維持するうえで留保すべき事項だろう。

他方、ドゥテルテには国民の支持を得るうえでフィリピン国家の安全保障をいかに維持するのかが問われている。前述したように、PCAの裁定を棚上げにして中国からの経済援助を引き出す一方で、やはり領有権問題を無視することはできない。フィリピンが実効支配している南シナ海のパグアサ島近辺に2019年1月以降、多数の中国漁船が航行した時にはフィリピン外務省は外交ルートを通じて、かなり厳しい批判を中国に行っている。ただその一方で、同盟関係にあるアメリカとの米比相互防衛条約の見直し[3]など、米中対立を巧みに利用しながら、ドゥテルテは政権運営を維持しているようだ。

タイは2014年5月の軍部によるクーデターで軍事政権になった

ものの、19年3月に民政移管に向けた総選挙が実施された。タイの民主化過程に若干言及しておくと、1988年に実業家出身のタイ国民党党首チャートチャーイが政党政治家として政権を取り、フィリピンのピープル・パワーに次ぐ民主化が実現した。順調に見えたタイの民主化だったが、91年2月に軍事クーデターが起き、翌年5月には軍・警察と民主化を求める市民との間に「暴虐の5月流血事件」が発生した（永井 2018：125-127）。

チャートチャーイ政権の軍に対する介入阻止を背景にした軍事クーデターだったが、野党政治家やバンコク、地方都市での一般市民の反対運動で流血事件にまで至った。国王の裁定で軍は政治の表舞台から撤退した。流血事件後のタイにおいては、民主化推進勢力としての中間層の存在と政党政治家の汚職問題が顕在化したことで「議会独裁」に対する懸念も生じることになった。その結果、「国王を元首とする民主主義」政治体制を敷くことになった（永井 2018：127）。

1997年10月にタイ憲政史上もっとも民主的な憲法が制定された。政治的には現役官僚の政治職の兼任を禁止することで、「官僚政体」や「半分の民主主義」を完全に否定し、上院議院の直接選挙制度導入や地方分権の推進などが実現した。また、国民の社会生活においては、9年間の義務教育や社会的弱者への手当支給などの社会権的基本権の充実を図った（永井 2018：127-128）。

実業家出身のタクシン・チンナワットが2001年1月に実施した総選挙はこの1997年憲法に基づいていた。「タクシノミクス」（タクシン流の経済政策）でタイの経済成長は着実に進んだ。タイ愛国党の議席も伸び、単独で政権を獲得するまでに至った。しかしながら、その後典型的な「タイ政治の悪循環」に陥る。2006年9月にまたもや軍事クーデターが起き、元陸軍司令官スラユットが首相に任命され、07年憲法を制定した。クーデターの背景には、タクシン政権に権力が集中することによって、政党政治家・軍・官僚の均衡を崩したこと、タイ政治の根幹である「国王を元首とする民主主義」体制を揺るがしたことがあったという（永井 2018：129-135）。

これ以降、タクシン派（「赤シャツ」派）と反タクシン派（「黄色シャツ」派）の対立のなかでタイ政治は揺らいでいる。2007 年 12 月の総選挙で民政復帰が実現するが、両派対立の政治的混乱は続き、11 年 7 月の総選挙でタクシン元首相の実妹インラックが政権を握った。憲法改正や国民和解法案を推進した一方で、タクシン元首相の恩赦・帰国などの法案が議題に上がる状況下で再び大規模な政治的対立と混乱が起きた。14 年 2 月に下院の解散を試みるも憲法裁判所で同選挙が無効という判決が下された。混乱状況のなかで死傷者が発生し、プラユット陸軍司令官は5月20日未明に全国に戒厳令を発令し、5 年間にわたる軍政から今回の民生移管の選挙に至ったのである。

簡潔にタイ政治の流れを振り返ったが、今回の民政移管においても軍の影響は色濃く残っている。2019 年 3 月の総選挙ではタクシン派政党のタイ貢献党が第 1 党、親軍政の国民国家の力党が第 2 党、軍政批判の立場をとる新未来党が第 3 党だった。このような選挙結果だったものの、軍政が事実上任命した上院議員を合わせるとプラユット暫定首相が引き続き民政移管後の首相として任命された。

ただ、プラユット新政権の先行きは不透明である。下院議員議席 500 に対して与党の議席数が 254 であり、連立は 19 政党に及び政策のすり合わせは難しい。そのなかで、首相指名選挙で争ったタナトーン・ジュンルンアンキットが党首を務める新未来党の解党命令、党首ら 16 人の 10 年間の政治活動禁止が 2020 年 2 月に憲法裁判所で決定された。将来の首相候補として国民の評価が上昇中のタナトーンのカリスマ性を排除する「批判勢力つぶし」だと批判されている（『朝日新聞』2020 年 2 月 22 日）。

タナトーンは共同通信のインタビューで、「王室にはタイにとって『不都合な真実』がある」と述べ（2020 年 9 月 26 日配信）、不敬罪の廃止や王室予算の削減という日増しに強まる学生らの要求をはじめ、プラユット政権の退陣や憲法の改正の動きに影響を与えている。コロナ禍で集会を禁じた非常事態宣言解除後も反政府大規模デモが続き、その収束は見られていない。抗議を示す3本指を立てた腕を天に振りかざす、中高校生を含む若者の民主化要求はどこまでプラユット政権を動かし、かつ「タイ政治の悪循環」を断ち切ることができるのか。

このようなタイ政治をみると、隣国ミャンマーの民政移管状況と比較できよう。選挙は実施されるものの、政治的自由は制限されている状況である。また、野党に対する強引な解党はもはやカンボジアの権威主義体制に近いといえよう。2018年の政治状況を調査したフリーダム・ハウスによると、タイは「自由のない政治体制」と評価されているが、19年3月に総選挙が再開された点で、非民主的なリベラリズムへ移行したものと思われる。しかしながら、いずれにしても権威主義政治体制も視野に入れた状況下にあり、リベラル・デモクラシーにはまだほど遠い。

なお、中国との関係ではやはりメコン川流域国家として「一帯一路」構想との関係が深い。大メコン圏（GMS）経済協力における南北経済回廊、南部経済回廊と東西回廊の交差路に位置するタイは中国の大規模なインフラ支援を受けている。例えば、中国の昆明を起点とした道路開発がラオスを経てタイのバンコクまでつながっている。ラオスとタイのファイサイとチェンコン間の全長630メートルの第4メコン友好橋は、タイ政府と中国政府の支援で2013年12月に開通し、鉄道開発に関しても中国までに至ることを念頭に建設されているという（石田 2020：44-48）。

民政移管前の相手先貿易国については、2016年の輸出先の第3位までをみるとアメリカ11.4％、中国11.1％、日本9.5％、17年では中国12.5％、アメリカ11.2％、日本9.3％であり、輸入先は16年では中国21.7％、日本15.8％、アメリカ6.2％、17年では中国20.0％、日本14.5％、アメリカ6.7％である。輸出入先とも中国の影響が大きくなってきていることがわかる（『世界国勢図会』2018, 2019）。

以上、東南アジア諸国の政治現況を踏まえて、改めてヤシャ・モンクの分類を念頭に、自由民主主義（リベラル・デモクラシー）を基点にどのような状況下で「民主主義」が走錨しているのか、あるいは何を原因にして非民主的なリベラリズムや非リベラルな民主主義に曳航され、さらには一気に権威主義政治体制に組み込まれる可能性があるのかを考えてみた。また、本節では中国が推進する「一帯一路」構想に基づく援助で、各国の強力な指導者が強権的政治を敷き、政治体制を非リベラルな民主主義や権威主義へと曳航しているのではないかとも述べた。次に、異なる視点からこの問題を考えてみたい。

3. データからみるASEANと中国の関係

シンガポールの東南アジア研究所（ISEAS）ASEAN研究センター（ASC）が興味深い調査報告書を出している。2019年11月12日から12月1日にかけてASEAN10カ国から抽出された研究機関、ビジネス・金融、公共部門、市民社会、メディアの5つの専門領域に従事する1308人に対して58の質問を行っている。回答者の世代を東西冷戦の前後で「冷戦後世代（PCW）」と「冷戦世代（CW）」の2つに分類する。まず1981-96年世代（46.6%）と96年以降世代（4.7%）をPCWとして位置づけ、次に65-80年世代（34.4%）と64年以前生まれの世代（4.3%）をCWとして分類する[4]。

いくつかの興味深い質問と百分率で示された回答を紹介してみる。質問4では東南アジアが直面する安全保障上の上位3つの脅威とは何かを尋ねた。第1位が国内の政治的不安定70.7%、第2位が経済的停滞68.5%、第3位が気候変動66.8%、第4位が増大する軍事的緊張49.6%、第5位がテロリズム44.6%となっている。すでに前節でみてきたように、第1位の背景としては、概してリベラル・

デモクラシーから非民主的リベラリズム、さらには権威主義政治体制への移行を視野に入れた有識者の懸念があるかと思われる。

第1位の要因を選択した各国別の集計結果をみると、カンボジア88.5%、ミャンマー88.1%、タイ86.5%、インドネシア83.8%、マレーシア81%の5カ国が80%以上だった。特に上位3カ国は前述したように政治体制の強権化があり、そのうちインドネシアは、国内の政治的不安定要因に「エスニック集団や宗教的対立」も含まれ、歴史的に分離独立運動を抱えてきたことや、昨今の厳格なイスラム回帰が華人系ビジネス従事者からの懸念として数字に表れているのではないか。華人系ビジネスマンの懸念はマレーシアでも同様であり、前節で触れたラザク問題も念頭にあるだろう。ミャンマーでは、少数民族との紛争やロヒンギャ問題が当然含まれていると思われる。

また、ASEAN加盟国で安全保障上の危機として選択された第2位が経済的停滞だった。各国別で80%以上の回答があったのは、ラオス91.3%、カンボジア84.6%、ブルネイ83.5%、タイ82.3%の4カ国だった。この結果は、これらの国々が中国から多額の援助を受けている背景と相関している。まさに「一帯一路」沿線国家であり、ラオスに至っては「債務の罠」に陥る危機意識と表裏一体の数値として考えられる。しかしながら、逆に南シナ海での中国との領有権問題を背景にした軍事衝突が安全保障上の脅威（ASEAN全体で第4位）だと考える有識者の数が、中国と実際に領有権を争うベトナムで88.2%、フィリピンで82.5%となっており、他国に比べて両国は際立っているのが特徴的である。

質問12は、回答者個人や所属において「東南アジアでもっとも経済的影響を有する国はどこか」という問いだった。中国と回答したASEAN全体の割合は、2019年の73.3%から20年の79.2%へと着実に増大している。国別で80%以上を示している国は、カンボジア88.5%、タイ86.5%、ブルネイ85.5%、ミャンマー84.9%、シンガポール81.1%の順だった。フィリピンの61.3%が最下位で残りの国は70%以上を示している。中国の経済的影響力がASEANではすでに広く認識されている証左だろう。ちなみに、地域機構としてのASEANと答えた者の割合は8.3%、アメリカ7.9%、日本3.9%と続いている。

ただその一方で、興味深いのは増大する中国の経済的影響力を歓迎するという回答者が28.1%に対して、71.9%が同国の影響力増大を懸念していることだ。特にフィリピンでは82.1%、ベトナム80.2%、タイ75.9%の割合を示している。世代別調査では「冷戦後世代」が63.8%に対して、「冷戦世代」は58.9%で数値は拮抗している。なお、7.9%の有識者がASEANで最大の経済的影響力があるのはアメリカだと回答している。この集団では70.2%がアメリカを歓迎しているのに対して、29.8%が懸念するという割合になっている。この質問12の集計結果が示すことは、ASEANの各界有識者層が中国からの経済援助を歓迎する一方で、自国の政権が過度に中国に依存することで民主主義を軽視するのではないかという懸念が背景にあると考えられる。

この考え方をより反映した結果が出ているのが質問14の「東南アジアにおけるもっとも政治的・戦略的影響を有する国はどこか」という問いだった。中国の政治的・戦略的影響力を認める回答者の割合は52.2%で、2019年45.2%からさらに増大している。一方でアメリカの数値と比較してみると、30.5%から26.7%へとむしろ1年間で減少している。減少の背景としては、バラク・オバマ政権とは異なりトランプ政権のアジア軽視があるのではないか。トランプ大統領は2017年以来、ASEANと日米中韓の首脳会議や東アジアサミットに出席せず、20年11月のテレビ会議すら欠席をしている。とはいえ、東南アジア地域へのアメリカの関与に関しては、懸念47.3%に対して歓迎52.7%であり、明らかに中国の影響力との相殺を求めている。今後のバイデン政権の同地域への関与を期待しているものと思われる。

表 2-1　仮に同盟を選択せざるを得ない場合に、米中のどちらを選ぶか

	中国	アメリカ
ASEAN	46.4	53.6
ブルネイ	69.1	30.9
カンボジア	57.7	42.3
インドネシア	52.0	48.0
ラオス	73.9	26.1
マレーシア	60.7	39.3
ミャンマー	61.5	38.5
フィリピン	17.5	82.5
シンガポール	38.7	61.3
タイ	52.1	47.9
ベトナム	14.5	85.5

数字はパーセント
出典：ASEAN Studies Centre(ASC)-ISEAS (2020), *The State of Southeast Asia: 2020 Survey Report*, p.29.

質問 26 では「仮に米中のどちらかと同盟を結ばざるを得ないとすればどちらを選ぶのか」という究極的な質問がなされている。ASEAN 全体では 53.6%がアメリカを選び、それに対して 46.4%が中国だった。国別でみると、85.5%のベトナム、82.5%のフィリピン、61.3%のシンガポールが過半数を超えてアメリカを選んでいる。その一方で、過半数が中国を選んだ国には同国から多額の経済援助や投資を受け入れているラオス 73.9%、ミャンマー 61.5%、カンボジア 57.7%、タイ 52.1%をはじめ、「一帯一路」（特に「21 世紀海上シルクロード」）沿線国家であるブルネイ 69.1%、マレーシア 60.7%、インドネシア 52.0%が含まれている（表 2-1 参照）。

ただ仮に米中で戦闘が起きた場合に ASEAN はどのような対応を取るべきかという問い（質問 25）に対しては、ASEAN 自身の強靭性を高め両国からの圧力を追い払うという選択肢が 48.0%、次点でどちらか片方に加担しない立場を維持するが 31.3%となっている。第 3 の選択肢として広く第三国との関係性を求める 14.7%を入れると、ASEAN の役割を東南アジアの有識者は重視しているものと思われる。このことは回答者の 84.3%が東南アジア地域での経済

的影響力を求め、また政治的・戦略的影響力でも84.0%がASEAN自身に求めていることからも裏づけられる。

最後に中国の「一帯一路」構想（BRI／OBOR）に関する質問33は、2019年4月に開催された第2回「一帯一路」国際協力サミットフォーラムでの「オープン・グリーン・クリーン」の誓約を踏まえて、「BRI借款国として、これらのアプローチが自国により公正な取引をもたらすと思いますか」という問いだった。この誓約は、前節で述べたスリランカの事例をはじめとする「債務の罠」論や「新植民地主義」に対する中国への世界的な批判を踏まえて、習近平国家主席がフォーラム冒頭の演説で示したものだった。

ASEAN全体では上記フォーラムの新しいBRI誓約に関して、「全く信頼していない」（21.5%）と「ほとんど信頼していない」（42.1%）の両方合わせると63.6%が信頼していないという回答になる。逆に「ある程度信頼している」（33.9%）と「完全に信頼している」（2.5%）という回答を合わせると、36.4%が誓約を信頼していることになる。国別では、全く、あるいはほとんど信頼していない割合をみると、ベトナムの86.8%が最高で、次いでフィリピン72.3%、インドネシア69.6%が顕著であるが、興味深いのは中国からの多額の経済援助を受けているはずのミャンマー（61.9%）、タイ（60.5%）、カンボジア（57.7%）、マレーシア（57.1%）、ラオス（52.2%）で半数以上の割合が中国に対して不信感を抱いているという結果が出ていることである。

この3年間で中国とASEANの関係がどうなると考えるのかについても尋ねている（質問34）。45.5%の回答者が現状維持、改善（30%）ないし相当の改善（8.3%）と合わせて38.3%が良い方向性になると回答している。他方で、悪化する（12.7%）と最悪の関係になる（3.5%）との回答を合わせると16.2%が悪い方向に向かうと回答している。また、回答者自身の出身国と中国との関係を国別でみると、「改善と相当の改善が見込まれる」を合算してラオス（78.3%）、カンボジア（69.2％）、ブルネイ（66％）の3カ国がもっとも楽観的な展望を有しているのに対して、逆にベトナム（5.9％）、ミャンマー（25.8％）、フィリピン（29.2％）が悲観的な数値を示している。

もっとも楽観的なラオスともっとも悲観的なベトナムとでは72.4ポイントの差がある。この調査結果は政府の見解ではないにしても、政府機関関係者など各国の有識者から抽出された回答結果として一定の重みがある。さて、3年以内に中国と悲観的な関係に陥る潜在的な事由を、質問34で楽観的な回答をした501人を対象にして調査したのが質問35になる。逆に関係改善をするうえで中国がするべきことは何かという質問36では、質問34で悲観的な関係を予測した回答者212名にその事由を尋ねている。ともに照合する3項目を選ばせている。

まず質問35の調査結果をみると、中国とASEANとの関係が良い方向にあると支持した回答者の考える両者の関係悪化の潜在的事由は、中国が過度に経済支配と自国への政治的影響力を強化した場合が55.5％、中国が南シナ海やメコン川流域で武力行使を行った場合が53.9％、自国の対外政策で中国の経済手法や観光に制裁を加えた場合が45.4％、中国が自国民の問題も含み当該国内の問題に干渉する場合が39.5％、5択の最後として中国がチベット、新疆、香港問題で対応を誤った場合が33.1％となっている。

他方で、中国との関係が悪い方向に向かうと回答した悲観主義的立場から何をすれば中国との関係改善につながるのかを尋ねた質問36の回答結果を確認してみる。回答者の74.1％が国際法に基づき南シナ海問題をはじめとする領土問題の解決を図ることを支持し、次に61.8％が主権尊重と当該国の対外政策への妨害をしないことを挙げる。次いで46.2％が互恵に基づく二国間貿易の保証、20.8％が人的交流で相互理解の深化、最後に8.5％が過失・責任の線引き問題を挙げている。

質問35・36はあくまでASEAN全体の調査結果であり、国別の回答結果では当然ながらかなりの濃淡がみられる。中国の経済援助への依存度が高い一方で、同国との楽観的な将来（3年以内）関係を展望する、あるいは期待するラオス、カンボジア、ブルネイの3カ国が示した悪化への事由では、当然であろうが「中国の経済支配と政治的影響力の強化」になる。カンボジアに至っては88.9％、ラオス61.1％、ブルネイ61％で、ASEAN全体の平均55.5％を超えている。同様に中国からの経済依存が強いミャンマーも69.8％と高い数値になっている。

逆に中国との悲観的な将来を展望している回答者が、もっとも信頼回復へ向けて求めているのが、「南シナ海をはじめとする領土問題への解決」である。国別の傾向をみると当然ながら南シナ海で領有権を争っているフィリピンが96.1％、ベトナム87.9％、ブルネイ83.3％が高い数値を示している。インドネシアは中国の九段線と自国領土のナトゥナ諸島の排他的経済水域（EEZ）が一部重なるが、原則2国間で調整していることで54.6％の割合だった。なお、ASEANで政治経済が際立って安定しているシンガポールは、国際法遵守の立場から中国の対応を注視し、その割合は86.2％という高い数値を示している。

アメリカに次ぐ大国となった中国に対する評価をいくつかのASEANの指標を通じて提示してきたが、トランプ政権下のアメリカに対してはどのように評価しているのだろうか。トランプ政権のアジア軽視といわれる一連の行動を背景にアメリカへの信頼度を確認してみると、「完全な信頼」（4.6％）と「ある程度信頼」（30.3％）の両方を合わせても「信頼にたる国」と回答した者は34.9％にとどまる。他方で、「信頼できない」（13.8％）と「ほとんど信頼できない」（33.2％）の両者を合わせると半数近くの47％にも達する。

2019年の割合が34.6％だったので、さらに不信感が増大していることがわかる。このことからもトランプ政権の信頼度は極めて低いことが窺える。また、アメリカの存在抜きでは中国との均衡が崩れるのではないかという一般的な認識が想定されるにもかかわらず、ノーコメントの回答割合が18.1％である。しかしその割合は19年調査の33.5％から激減していることを考えると、すでにアメリカが頼りにならないと判断した回答者が増大していることと符合する。

なお、国別の対アメリカへの信頼度を確認してみると、相互防衛協力関係を有するフィリピンが2019年の36.9％から20年には61.3％に急増し、安全保障協力を強化しているベトナムが54.9％から52.6％で半数を超えている。両国は中国と南シナ海での領有権問題を抱えており、それが数値に表れていることは想像に難くない。両国に対して、むしろ半数以上が信頼していないと回答した国々をみると、インドネシア（59.5％）、カンボジア（57.7％）、タイ（57.3％）、ブルネイ（53.6％）、マレーシア（52.8％）、シンガポール（52.7％）と、ASEANに加盟する6カ国になっている。トランプ政権への信頼度の低さが垣間見られる結果といえよう。

もちろん東南アジア地域でアメリカの信頼度が低下することは地域の安全保障上好ましくないはずである。そこで、アメリカの空白を埋める役割として以下の国々の存在が挙げられている。日本が31.7％、次いでEU20.5％、中国20.3％、オーストラリア9.5％、ロシア7.8％、インド4.7％と続いていく。特に日本の役割を1番目に挙げた国は、フィリピン45％、ミャンマー38.2％、マレーシア34.9％、ベトナム34.9％、ブルネイ34.6％、カンボジア33.3％となっている。EUを1番目に挙げたのはタイ36.4％、インドネシア30.7％、シンガポール23.9％だった。中国を1番目に挙げたのはラオス44.5％、カンボジア33.3％、シンガポール23.9％だった。

以上のデータはシンガポールの東南アジア研究所ASEANセンターの『東南アジアの国家――2020調査報告書』に依拠し、筆者が分析を加えたものである。1308名の回答者でかつ国別の回答者数と職種に偏りがあり、有識者のみを調査対象にしているという限界はあるにせよ、ASEANの現状や進むべき方向性に影響力を有する人々の意識を反映しており、重要な示唆があると思われる。この報告書からいえる結論は、中国の「一帯一路」構想は着々と進行しているということだ。しかし他方で、東南アジア（ASEAN）地域や各国の政治経済のみならず社会文化に与える影響力の大きさに鑑みて、知識層からは歓迎と同時に警戒、さらには脅威としても認識されていることがわかる。

また、回答者である多くの知識層にとっては民主主義と経済発展の相関性を背景に、中国の発展形態にある種の懸念を有していることも感じられる。その意味で、アメリカの東南アジア地域での存在は中国との均衡を維持するうえで必要なはずであり、かつ自由民主主義の体現者としての存在は大きなものだろう。ところが、トランプ政権のアジア軽視が顕著になるにしたがって、アメリカへの期待感は薄れる一方で、他国、特に第二次世界大戦後アメリカに次ぐアジアでの経済的牽引役を果たしてきた日本への期待は高まっている。それは民主主義国家としての役割であるだろう。バイデン新アメリカ大統領への期待度が高いことは想像に難くない。

ASEAN諸国にとって中国は、巨額な経済的援助を背景にした「中国期待論」と南シナ海などにおける強引な領有権の主張を背景にした「中国脅威論」の二面性を有する。したがって、中国は「期待と脅威」という矛盾する2つの顔を持っているのだ。東南アジア各国の政治体制は中国の「期待と脅威」を背景に、「自由な政治体制」（リベラル・デモクラシー）と「自由のない政治体制」（非リベラルな民主主義）の狭間で走錨している。「期待と脅威」の均衡が崩れた国々は中国を隠れ蓑にして、不可視的、時に可視的に権威主義体制へと曳航されていく。その一方で、有識者層はアメリカ、日本、EUが「自由な政治体制」、つまりリベラル・デモクラシーへとASEAN地域を引き戻す曳航を期待しているのではないか。この期待こそが本報告書のデータ指標から読み取れる含意だと考えられる。

第3章　自由民主主義を分断する新たなアプローチ

1.「主権民主主義」と内政不干渉原則

すでにウェルシュの『歴史の逆襲』を紹介したが、そのなかで彼女はフランシス・フクヤマが冷戦における西側自由民主主義（リベラル・デモクラシー）の勝利を背景にして著した『歴史の終わり』は楽観主義的な分析であり、むしろ現代社会の実像をみると20世紀へと退行する「歴史への回帰」が起こっているのだと指摘した。

その回帰の一つに挙げているのが、ロシア連邦大統領ウラジーミル・プーチンが唱導する地政学の復権と「主権民主主義」という政治制度である[5]（ウェルシュ 2017：41）。プーチンは2000年の大統領就任時、「ミレニアム」論文で「米国の10分の1、中国の5分の1に低下したロシアの現実的経済」を踏まえて「強いロシア」の復活を唱えた。エネルギー資源国家に依拠するロシア経済の特徴を「地経学」と呼ぶならば、「地政学」的にはユーラシアの中心に位置して太平洋と大西洋、北極海と中東世界に影響力を及ぼす存在である。その意味で、ロシアは地政学的には依然として超大国といえるだろう（下斗米 2016：296）。

ロシアはかつてのソ連のような共産主義というイデオロギーに基づく紐帯ではなく、エネルギー輸出、言語、宗教、文明といった絆で隣国とつながるソフト・パワーを重視している。ただ、プーチンのソフト・パワーの中身は「ソフトな強制」ともいわれ、国益や実利を軸に据えた外交政策を進めている。2014年のウクライナ危機以前からウクライナ経由の天然ガス供給の比重を下げて、ロシアとドイツをバルト海の海底で結ぶノルド・ストリーム（ノルド・ストリーム2は2020年半に開通予定だが、まだ未完成）を通じて欧州市場に輸出している。下斗米伸夫は地経学的にプーチンは北極海を通じたエネルギー・物流ルートの開拓を模索し、「脱欧入亜」と呼ぶ「ロシアの東方シフト」戦略を採っていると指摘する（下斗米2016：297-298）。

プーチンの「強いロシア」の復活を考えるうえで「主権民主主義」政治体制が重要になる。プーチンは首相在任中の1998年にチェチェン問題に着手する。プーチンはチェチェン紛争の原因をイスラム急進派の「テロ」問題に求め、民族問題と切り離したのだ（下斗米2016：194）。チェチェン問題を安全保障の問題として選挙で訴えたことも国民の支持を得た。この流れは2001年に世界に衝撃を与えた9・11事件とも通底することで西側諸国の批判が少なくなっていく要因にもつながっていく。

また、西欧諸国に歓迎されたペレストロイカ政策でソ連は結局崩壊へと進んだが、多くのロシア人にとって、生活基盤だった行政と経済を司る国家の崩壊は決して歓迎できるものではなかった。政府職員、教員、軍人、学生、年金生活者らの中産階級を襲った崩壊直後のインフレ率は2600％にまでなり、ボリス・エリツィンが突如導入した民主化や市場経済により彼らの生活基盤そのものが奪われることになった。また、エリツィン政権の民営化に群がる一連の政商の存在はロシア社会の格差を拡大させる要因にもなった。

このような政商をオリガルヒと呼ぶ。これは要するに「エリツィン政権に群がって、国家指令経済と闇経済しかなかった旧来の体制を民営化する過程に関与した一連の政商」（下斗米2016：197）を指す言葉である。ソ連崩壊に伴う旧共産党関連施設の民営化とネオ・リベラルな市場経済の導入は西側西欧社会から歓迎されたものの、リベラル・デモクラシーの経験を持たないロシア社会の混乱は想像以上のものだった。したがって、プーチンがなすべきことは国家の再建だった。

プーチンは愛国主義キャンペーンを打ち、彼の支持基盤「統一ロシア」を通じて大統領に就く。就任後には政党再編を行い、「強い国家」と「垂直的統制」の考えを背景にした「主権民主主義」を明示してソ連崩壊後の「国家再建」を断行した。下斗米は、プーチンの第1期の成果は、「腐敗したオリガルヒの脱税を回避し、租税も単純でフラットなもの」にして、「国家と市場の関係を整序したこと」だったと述べる（下斗米 2016：197-200）。

大統領になったプーチンにとって、石油をはじめとする豊富なエネルギーの価格高騰で、2008年までに国家財政が6倍以上になったことは、地経学的なエネルギー国家として国家財政基盤ができたことを意味した。「『奪う権力』としてか（ママ）表象されなかったクレムリン権力は、おそらく史上はじめて、多少は民衆に利益を還元する『与える権力』としての性格を持ちはじめた」のであり、「プーチン流のソフトな権威主義」、プーチンがいう「垂直的統制」や「管理」民主主義、あるいは「主権民主主義」がロシア国民に受け入れられることになったのである（下斗米 2016：197-200）。

このように、ソ連崩壊後のロシア国民にとって1990年代の政治的・経済的・社会的混乱と無政府状態は屈辱の「国民的原体験」として刻印された。プーチンが主導する政治社会の安定を求める背景には、国民の無秩序への恐怖心や不安感があった。ロシア人の意識では、エリツィン政権が進めた民主化路線がもたらした混乱の克服、つまり民主主義、自由、変革よりも秩序や安定へと導く強い指導者を求めたのである。そして、「ロシア国民の心理的な要求」として権威主義体制があり、「主権民主主義」の存在があった（袴田 2007）。

2014年のクリミア併合問題を契機に主要国首脳会議G8はロシアを追放してG7に戻った。しかし、ソ連崩壊後のロシアは民主主義国の一員として、西側諸国の人権、民主主義、自由などを基調とする政治体制であるリベラル・デモクラシーを受け入れるポーズをとった。実際、プーチンは政治的にも民主化を否定していないし、権威主義を公然とは受け入れていない。また、経済的にも市場経済を公式に否定したことはなく、G8のメンバーを装いながら欧米からの孤立を防いでいたのだ（袴田 2007：8-10）。

「主権民主主義」の中核は、ロシアが開かれた民主的な近代国家であることを許容する一方で、国内問題における外国からの違法な干渉から自国を守ることにある。「主権民主主義」を唱えたウラジスラフ・スルコフ大統領府副長官は、「我々は開かれた社会を築く一方で、自由であることを忘れてはならない」「我々は他の開かれた国家とともに一つの開かれた国家になりたい、そして外国から管理されることのない公正な規則を基本にそれらの国家と協力したい」と2013年5月の内閣解散前に発言している（Ray Sontag 2013:4）。

このように、ロシアの「主権民主主義」は西欧世界における自由民主主義とは異なり、政治的には外国からの内政不干渉原則を堅持し、経済的には急進的な市場経済とは一線を画した、貧富の格差の克服が可能な経済的安定を求める「ロシア型の民主主義」をめざしたものであるといえるだろう。

2020年3月11日、結局プーチン大統領は自身の任期を適用外にした大統領の3選禁止、首相任命権を大統領から議会へ移譲することなど、権力の分散をめざす憲法改正案を上下院で可決した。大統領の任期が終わる24年以降の実権（院政を含む）を維持する改憲案ともみられているが、プーチンは「重要なのはどの条文に何を書くかではなく、憲法改正が国民の投票によって効力を持ち、国民が改正の起草者となることだ」と述べている。大統領の強大な権力に変化はないものの、年金制度や子育て支援など300件以上の修正を加えた「国民の要望に寄り添う」内容になったと述べている（『朝日新聞』2020年3月10・12日）。

議会の可決後、全国の3分の2以上の地方議会の承認と憲法裁判所での採決を経て、7月1日の国民投票「全ロシア投票」で約80%の賛成を得て憲法改正が行われた[6]。この憲法改正手続きをみると、上下院で議決し、最終的には国民投票の過半数を条件に据えるという民主主義国家と同様のプロセスのように映るが、改憲内容には国際条約が憲法と矛盾する場合はロシアでは履行されないなど西欧世界のリベラル・デモクラシーとは一線を画している。政権に批判的なメディアや表現の自由を制約する動きもあるようである。

フリーダム・ハウスの指標でロシアは「自由のない政治体制」に属し、ヤシャ・モンクの分類（表1-2）で言えば、非リベラルな民主主義から権威主義政治体制に軸足が移行している状況下にあるだろうか。かつて東側ソ連圏に属し、ポーランド統一労働者党やハンガリー社会主義労働者党が支配する共産党一党支配体制だった両国は、東欧の民主化で体制転換が起こり、2004年にはEUにも加盟している。

1989年に冷戦の象徴だったベルリンの壁が崩れ、2019年には30周年の節目ということで記念式典が行われた。『歴史の終わり』でフクヤマが指摘したように、かつて西側諸国の自由民主主義が熱狂的に歓迎されたものの、EU加盟国のポーランドやハンガリーを中心に東欧諸国の政治体制は変容しつつある。特に最近の両国の政治体制をみると、モンクが分類する非リベラルな民主主義体制へ曳航されている。ここでも「民主主義の走錨」が見られる。

ポーランドは2015年10月の選挙で保守政党「法と正義（PiS）」が愛国心を国民に訴えて単独過半数政権となり、19年10月に実施した総選挙でも与党PiSが下院で単独過半数を維持し、マテウシュ・モラヴィエツキ政権が発足している。「連帯」運動で民主主義に熱心だったポーランドは1999年にNATOに加盟し、EUから受け取った補助金は1000億ユーロ（約13兆円）で加盟国最大といわれた。しかし、国民からはEU加盟国であることは支持される一方で、外国からの内政干渉には否定的であるという。新自由主義経済が引き起こす中央と地方の格差、一部の国民の富裕化、2015年前後の大量の難民流入問題に対する有権者の不満がFiSへの支持を高めている。とはいえ、14年のロシアのウクライナ軍事介入がかつてのソ連支配を彷彿させ、自国の安全保障への関心が高まっているといわれている（REUTERS, 2018年10月24日）。

FiS政権はEU加盟条件でもある「法の統治」を柱に据えるリベラル・デモクラシーに背いている。具体的には、メディアへの介入や政権が憲法裁判所判事を任命するという司法改革にEUや隣国ドイツから批判が出ている。欧州委員会はポーランドに対して「法治主義メカニズム」に関する調査を行っているが、EUの制裁発動は全会一致が原則であり、盟友関係にあるハンガリーが拒否権を行使することを表明していることから制裁発動は困難なのが現状である（セン2016）。

ポーランドの変わりようを「欧州政治における危険な『プーチン化現象』」と呼ぶ欧州議会議員も出てきており、PiS政権の行政、司法、メディアに対する締め付け強化に国内でも大規模な抗議デモが起きている（セン2016）。EUの圧力を内政干渉と捉えるのはポーランドだけではなく、EU懐疑派はハンガリーでも大きな存在である。オルバーン・ヴィクトル率いる与党フィデス政権は、2010年の総選挙で政権を掌握して以来、選挙制度改革、憲法裁判所の権限縮小、メデイアへの監督強化などの強権的政治体制を敷いている。

2020年8月9日にベラルーシ大統領選挙でアレクサンドル・ルカシェンコが6選を果たした。80％での得票率に不正疑惑を追及する国民による大規模な抗議デモが続いている。旧ソ連のベラルーシで1994年以来独裁を続けているルカシェンコに対する退陣要求に対して、国家連合を組むロシアは外国の介入を批判する一方で、同氏への支援を明確にしている。他方で、EUは反政権派との対話を呼びかけるが、ルカシェンコは不正疑惑のなかでロシアの支援を背景に大統領就任式を強行した。

ベラルーシはEUには加盟していないものの、市民の抗議デモに対する暴力的な弾圧手法をEUは強く非難している。逆にEUの欧州議会は、10月22日に人権や民主主義を訴える活動に携わったという理由で、ベラルーシ反政権派に対して「サハロフ賞」の授与を決定している。また、ルカシェンコをはじめ内相ら政権関係者や抗議デモを弾圧した国家安全保障担当の大統領補佐官などを対象に、EU域内の資産凍結や渡航制限の制裁措置を行った（一連のBBCNews参照）。ベラルーシ制裁をめぐってEU・欧米諸国とロシアの対立が改めて顕在化した。

こうしたことから、ハンガリーのオルバーン政権はポーランドとともに、人権や法の支配というリベラル・デモクラシーを基本とするEUの理念から遠ざかっている。ハンガリーはウクライナ介入に対するEUのロシア制裁にもかかわらず親露路線を採る一方で、欧州を襲った2015年の移民・難民問題にも厳しい対応をとったことで、18年4月の総選挙で与党のフィデス・ハンガリー市民連盟が大勝している。

ポーランドもハンガリーもロシア同様に「主権民主主義」、つまり西側とは異なるそれぞれの「主権」民主主義を主張する。両国は冷戦下での共産党一党支配のくびきから逃れ、人権や法の支配に基づく法治国家をめざして2004年にはEU加盟を果たし、EUの理念や西欧社会が標榜するリベラル・デモクラシーを受け入れたはずだった。冷戦後の熱狂は薄れ、両国はEUの価値観から距離を置き始めている。東欧諸国がめざした「民主主義」が明らかに走錨しているのだ。ポピュリズム政治家が非リベラルな民主主義政治体制へと曳航しているのだ。両国ではEU懐疑派が内政不干渉主義と一体化することで、「主権」民主主義と表裏一体の関係を構築しているものと思われる。

2.「シャープ・パワー」は自由民主主義を分断させるのか

現代の「走錨する民主主義」を考えるうえで、アメリカを中心に議論されているシャープ・パワーを取り上げてみたい。国際政治におけるパワーの存在は重要な権力行使の源泉であることはいうまでもない。特に冷戦時代を思い起こせば、軍事的・経済的ブロック形成下での米ソ両国の対立は熾烈を極めた。それは軍拡競争を繰り広げるパワー・ポリティクスの世界だった。この時代におけるパワーは軍事力や大国の経済力を背景にした、いわゆるハード・パワーの時代といわれるものだった。

当時の第三世界諸国は米ソのハード・パワーを背景にいずれかの陣営に属した。しかしながら、冷戦の終結を契機にハード・パワーの影響力は減退し、むしろソフト・パワーの登場を促すことになった。アメリカの国際政治学者ジョセフ・ナイは「アメリカの強大な軍事力と経済力を行使するだけでは、平和と繁栄はもたらされない。アメリカ合衆国の大統領は、民主主義と資本主義の理想をより魅力的なものにする必要がある」と述べている（ナイ 2009）。

ナイは、「威圧や報復」を通じて他者に影響力を行使し、欲しいものを手に入れるのがハード・パワーであるのに対して、「魅力」を発揮して手に入れる方法もあるという。つまり、その魅力とは個人レベルでは「カリスマ性（感情に訴える魅力）、ビジョン、コミュニケーション」を指し、国レベルでは「その国の文化、価値観、政策のなかで具現化される」のがソフト・パワーだと述べる。改めて「魅力というものが、きわめて強力な手段であることを忘れがち」だとナイは指摘する（ナイ 2009）。

ナイは自由な価値観や文化力を根源とするソフト・パワーとハード・パワーの均衡の取れた外交力の必要性を訴える。ナイの発言の背景には過度にハード・パワーに依拠したブッシュ政権が軍事力でイラクの民主化を試みた結果、アメリカを弱体化させてしまったという反省がある。しかし他方で、民主主義陣営がテロリズムを阻止するうえでハード・パワーの必要性も指摘し、時局に応じて威圧や魅力の使い分けと適切な組み合わせに基づく「スマート・パワー」の必要性をオバマ政権に助言している（ナイ 2009）。

このような3つのパワー概念に対して「シャープ・パワー」とはいかなるものか。この概念は全米民主主義基金（NED）のクリストファー・ウォーカー（Christpher Walker）とジェシカ・ルドゥウィグ（Jessica Ludwing）が提唱したものである。2017年にNEDは150頁にも及ぶ『シャープ・パワー――台頭する権威主義の影響力』（*Sharp Power：Rising Authoritarian Influence*）という報告書を出している。NEDは1983年にロナルド・レーガン政権下で誕生した民間の非政府組織である。NEDは世界の民主主義、民主化、国際問題などを扱う民主主義研究機関のネットワーク（NDRI）と連携し、世界の民主主義研究機関の発展や強化へ資金援助と人的支援を行っている（NED 2017：2-3）。なお、非政府組織であるが、その資金の大半は国家予算から拠出されていることからもアメリカ政府とは緊密な関係性を有しているといえる。

現代社会の現況に鑑みると、中国やロシアのような権威主義国家はあからさまな強制力を背景にしたハード・パワーではなく、また必ずしもソフト・パワーでもない方法として、例えば人々の交流、広範囲にわたる文化的な活動、教育プログラム、メディア企業の展開、地球規模の情報操作に対して数十億ドルを費やしている。要するに、「魅力や説得をするどころか、その代わりに、混乱と巧みな操作に注力」し、組織的に政治的多元性や国内の表現の自由を抑圧して自国の利益を確保していると指摘する。

「シャープ・パワー」は権威主義的「ソフト・パワー」と理解されがちだが、実際は権威主義的「シャープ・パワー」として分類可能だという。つまり、抑圧的な政治体制が民主主義の脆弱な諸国の政治や情報環境に向けて、短刀の先や注射器を使って、突き刺し、浸透し、穿孔させる技術を持ってその影響力を増大させているのだという（Walker and Ludwing 2017：6）。

ジョンズ・ホプキンス大学から出版されているNEDの機関誌（*Journal of Democracy*）で、ウォーカーは改めてより簡潔に「シャープ・パワーとは何か」という論文を執筆している。まず、なぜ中国やロシアのような権威主義国家が復活したのかを分析している。第1に、民主主義そのものの停滞を指摘する。今日、民主主義を主導してきた国々が自信を喪失し、権威主義国家による思想的・原理的レベルでの挑戦に直面し、戸惑っているからだという。

第2に、独裁者が民主主義システムの開放性を食い物にしていることである。もし政治的に重要なテーマに関するニュースや情報であれば、中国やロシアはそれらを統制する。今日の権威主義を主導する両国は民主主義国家の政治的・文化的影響から自国を保護する方法を見つけ、思想の領域で管理を行っているからだという。

第3に、中国とロシアでは、国家と連結したビジネスの活動を通じて、折衷的な国家資本主義体制が冷戦時代にはほとんどあり得なかった方法で、民主主義国の商業や経済に巧みに入り込むことを独裁者に認めているというのだ。例えば、中国における企業経営は業績の好不調ではなく、政府の需要に合致するか否かに依拠しているのだという（Walker 2018：10-11）。

ウォーカーはこれら権威主義国家の3つの特徴を踏まえて、「シャープ・パワー」の理解を促している。シャープ・パワーは表現の自由を制約したり、政治環境を歪曲したりする効果を有する。よく知られている事例として、民主主義体制の健全性や信頼性を弱体化させる目的で、ロシアが外国の選挙に露骨な干渉をすることが指摘されている（Walker 2018：12）。

いわずもがな「トランプ政権のロシア疑惑」が該当する。2016年のアメリカ大統領選挙に対するロシア介入疑惑がアメリカ政治を揺るがし、対抗馬の民主党候補ヒラリー・クリントンに不利な情報を流して、選挙をトランプ大統領に有利に展開しようとしたことが知られている（BBC News, 24 July 2019など各種報道）。政治分野を超えて、民主主義国家の市民が世界を認識し、理解するうえできわめて重要な文化、学術、メディア、出版（Culture, Academia, Media,

Publishing：CAMP）の領域でも明確にシャープ・パワーの有害な影響力が増大しているという。

なぜなら、民主主義国家においはCAMP分野が開放的で接近可能な脆弱性を持っており、シャープ・パワーを駆使する中国やロシアはこれらを絶好の標的にしているからだという。顕著な例として、中国は世界中に500を超える孔子学院を展開し、アメリカだけでも100校が存在している。2004年に開設した孔子学院は文化と学術の世界にまたがって中国語や中国文化を教授するために、民主主義国の大学キャンパスに設立され、かつ中国政府からの資金を元に同国の戦略を担っているのだとウォーカーは指摘する（Walker 2018：12-13）。

また、シャープ・パワーは現代のメディア、特にデジタル領域に浸透している。中国やロシアなどの独裁政権は国際基準で使用が禁止されているオンライン機材や技術を利用して、国民のメディアへの自由なアクセスに対する検閲を行っているのだ。中国国内では現在グーグルやフェイスブックのような外国技術や印刷会社に対して圧力がかけられ、世界的な表現の自由に対する懸念が増大しているという（Walker 2018：15-16）。

このように、中国やロシアのような権威主義政治体制が「シャープ・パワー」という新種の「ソフト・パワー」を駆使して、自由民主主義政治体制に向けてまるで短刀や注射器を使って突き刺し、浸透し、穿孔しているようなものだと指摘する。もちろん、従来の「ソフト・パワー」との明確な相違は、自由民主主義政治体制下では非軍事的・非強制的なパワーや、あくまでも自由な価値観・魅力に基づき他国への影響を及ぼすことである。

ただし、アメリカや世界中で展開する孔子学院が中国語や中国文化を普及させることは中国のソフト・パワーの努力でもあるとナイは指摘する。したがって、すぐさま孔子学院をシャープ・パワーを形成する手段だとして排除することは間違いだと述べる。中国やロシアが展開するソフト・パワーは時に競争的な「ゼロサム」を演じるが、その一方で「ポシティブ・サム」にもなるからだという。要するに、米中対立を回避するうえで、アメリカの魅力を中国に、逆に中国の魅力をアメリカに訴えるような交流プログラムの創造が互いの信頼とネットワークを構築し、協力関係を可能にすると述べる(Nye 2018：3)。

黒柳米司は「シャープ・パワー」の理論面と動態面に注目し、理論面では現代民主国家が直面するさまざまな危機の要因を中国やロシアの強権国家の悪意にすべて落とし込む固定観念になっているのではないかと懸念する。他方、動態面では、なぜ欧米諸国の行為はソフト・パワーであり、強権諸国が行使すればシャープ・パワーになるのかという欧米中心のダブル・スタンダードを問題視する。つまり、両者は冷戦後における西欧国家の「人権外交」とそれに反論した強権国家の「アジア的人権(アジア的価値)」論を彷彿させるという。「シャープ・パワー」概念は「中国脅威論」の焼き直しではないかという捉え方である(黒柳 2020：108-110)。

ウォーカーらの「シャープ・パワー」論は権威主義国家における強権政治の背景を分析した点で興味深い。リベラル・デモクラシーが自由で民主的な政治体制を意味するのであれば、CAMPは何よりも自由民主主義国家で受容され、法治国家で保障された人権だろう。問題は強権国家の戦略を背景に、CAMPを通じて自由な民主主義国家政治の分断を意図することである。

しかしながら、ナイが依然として「ソフト・パワー」が有効な外交手段であると指摘するように、まず欧米民主主義国家は自由で開放的な政治システムの魅力や価値観を今まで以上に民主主義脆弱国に対して援助や支援を通じて促していくことが求められている。「シャープ・パワー」に曳航される「走錨する民主主義」を再び「ソフト・パワー」を通じてリベラル・デモクラシーに引き戻すことが必要だろう。

第4章　「まだらな発展」と人間の安全保障

ウェルシュは「歴史の回帰」現象の最後に「不平等社会への回帰」が起こると指摘している（ウェルシュ 2017）。冷戦後の『歴史の終わり』が注目したのは国境の外側の問題であって、実は国境の内側に注目していなかった点をウェルシュは指摘する。つまり、自由民主主義の脆弱性を改めて考えてみると、さまざまな自由が保障される人権を求めてきた一方で、そもそも日常生活を担保する生存権が脅かさている人々が多数いることである。このことこそが強力な指導力を持つ権威主義体制を多くの国が選択する背景となっている。以下、本章では国際社会全体に拡散する貧富の格差や所得格差に焦点をあて、筆者が指摘する「まだらな発展」の実相に迫りたい。

1.「人間の安全保障」は保障されているのか

毎年スイスのダボスで開催される自由貿易の推進を議論する「世界経済フォーラム」を前に、国際NGOのオックスファムが世界の貧困格差の現状について報告書を出している。2020年1月20日発行の報告書では「世界の富豪上位2153人が独占した資産は、最貧困層46億人が持つ資産を上回った」と述べている。国連の19年人口統計では世界人口が77億1300万人となっているので、最貧困層にあたる世界人口の約60%の全資産が富豪上位2153人の資産に相当することになる。

2020年版同報告書ではいくつかの興味深い数値を示している。世界の上位22人の富裕層はすべてのアフリカ女性の資産よりも豊かである。世界には毎日125億人の無給の女性・少女が労働に従事し、その額は毎年少なくとも108億ドルのグローバル経済に貢献し、世界の製造業の3倍以上を担っている。また、世界の最富裕層1%が0.5%の追加財産税を10年間支払えば、高齢者介護、保育、教育、健康の業界に1億1700万人分の雇用を創出できる金額が賄えると述べている（OXFAM International 2020）。

オックスファムが指摘するまでもなく世界の貧富の格差は一段と拡大しているが、冷戦終結後の1990年代に国際社会が注目したのは「人間の安全保障」（Human Security：HS）だった。冷戦時代のような米ソの軍拡競争に基づく軍事力に依拠した国家の安全保障ではなく、人間個人や人々が日常生活を送る地域社会の安全を担保する安全保障の考え方が登場したのである。安全保障の捉え方がトップダウンからボトムアップ型へとシフトしていくようになった。

両安全保障の違いについて、緒方貞子とアマルティア・センを共同議長とする人間の安全保障委員会は次の4点を指摘する。まず、両概念は対立概念ではなく、人間の安全保障は国家安全保障を補完する関係にあると述べる。そのうえで、HSは第1に「人間中心であること」、つまり「外敵からの攻撃よりもむしろ、多様な脅威から人々を保護することに焦点を当てる」。第2に「環境汚染、国際テロ、大規模な人口移動、HIVエイズをはじめとする感染症、長期にわたる抑圧や困窮までを視野」にした「脅威」を含める。第3に、安全保障の担い手が国家のみの時代は終わり、「国際機関、地域機関、非政府組織（NGO）、市民社会など」の多くの人々が役割を担っている。最後の第4に、「安全を確保することと人々や社会の能力を強化することは密接に結びついている」。人間は自らの解決の糸口を切り開き、問題を解決する。そのための「能力強化」が必要だと訴える（人間の安全保障委員会 2003：12-13）。

HSが国際社会に広まる契機になったのは国連開発計画（UNDP）発行の2014年版『人間開発報告書』（*Human Development Report*：HDR）だった。HDRは人間の基本的人権を表すことを目的に開発され、人間生活に必要な基本的ニーズ（Basic Human Needs: BHNs）を念頭に人間開発指数（Human Development Index: HDI）を示している。具体的にはHDIは、成人識字率や総就学率に基づく教育指標、出生児平均余命に基づく保健衛生指標、購買力平価を基準にした1人当たりの国民総所得（GNI）の3つの指数から算出されている。

1994年版HDRの目的は人間開発の視点から「『人間の安全保障』という新しい考え方」を提示することだった。本報告書では、経済、食糧、健康、環境、個人、地域社会、政治の7領域を「人間の安全保障」として示している。これらをまとめて2つに分類すると、第1は「飢餓や病気、抑圧などの慢性的な脅威からの脱却」であり、「欠乏からの自由」に当てはまる。第2は「家庭、職場、地域社会など日常の生活様式が突然に破壊されて困らないように保護すること」であり、「恐怖からの自由」に対応する[7]（UNDP 2014：23-33）。

「欠乏からの自由」は前述のオックスファムの報告書が示すように貧富の格差の増大により、従来の中間層が狭まり一部の上層と多数の下層に分断され、欠乏に喘ぐ人々の数が極端に増えている。他方で、「恐怖からの自由」もその範囲は紛争、テロリズム、自然災害、新型インフルエンザや新型コロナウイルス（COVID-19）をはじめとする新たな感染症の恐怖など、拡大の一途をたどる。いまや環境問題のように欠乏と恐怖の複合的な問題も増大している。このように国際社会が現在直面する欠乏や恐怖の実情を可視化するうえでHDIの指数は重要である。また、HDRが提示するHDIの存在は人権侵害の状況を示すことで国際世論を喚起するうえでも注目に値する（山田 2016, 2019）。

「人権尊重」は「法治国家」の基本であり、リベラル・デモクラシーを標榜する国々にとっての普遍的な価値概念である。したがって、第3章で言及してきた「シャープ・パワー」を是とする権威主義国家の政策には細心の注意が必要になる。人権、法の支配、民主主義を加盟条件とするEUは、昨今のポーランドやハンガリーの非リベラルな民主主義の政策導入に対して強い懸念を示している。EU は人権侵害に関わる政策を導入した加盟国には内政不干渉の原則を超えた積極的な内政干渉を行っている。EU 加盟国を含む 57 カ国で構成される欧州安全保障協力機構（OSCE）の専門機関である民主制度人権事務所（ODIHR）が、EU 機関と協力して欧州国際基準の普及のために自由選挙の監視や選挙支援を積極的に実施していることは一つの証左になるだろう（吉川 2007：164-167）。

2.「非伝統的安全保障」とは何をめざすのか

ただその一方で、権威主義政治体制下の独裁的政権では人権に基づく「人間の安全保障」概念の導入には消極的である。前述の欠乏や恐怖の事例はこれら諸国も同様に直面する危機であるものの、「人権」を掲げて内政干渉を是とする「人間の安全保障」概念は西欧社会を淵源とする自由民主主義の範疇であるとして、同概念の受け入れには消極的である。

中国やロシアに代表される権威主義国家はトランスナショナルな危機対応には内政不干渉を大原則とした国際協力や国際支援を求める。要するに、これらの権威主義国家にとって「安全保障」とは従来の他国からの攻撃に対していかに国民を保護するのかである。これが伝統的な国家安全保障と呼ばれるものである。そして、これらの国々にとって国民個々の人権は国家安全保障に属し、国家の保護対象となるため、各国の内政問題になる。

そもそも「人間の安全保障」（HS）が前提とする人権には、国家や教会権力から個人の自由を守るために 17-18 世紀の欧州で確立した自由権が基本になる。つまり、それは思想及び良心の自由、信教の自由、集会・結社・表現の自由、居住・移転及び職業選択の自由、学問の自由などで知られている。自由権は 1966 年 12 月第 21 回国連総会で採択された人権擁護に関する国際条約である、国際人権規約「市民的及び政治的権利に関する国際規約」（B 規約）に対応する権利になる。

次に社会権である。自由権を獲得するも、劣悪な労働環境、低賃金による貧困や差別などに対して、むしろ国家の積極的な関与の下での社会問題の解決が求められるようになった。また、20世紀の社会主義や社会民主主義の影響もあり、生存権、教育を受ける権利・義務、勤労の権利・義務、勤労条件の改善、児童労働の禁止、労働三権である勤労者の団結権・団体交渉権・争議権、福祉政策の必要性が叫ばれるようになった。社会権もB規約同様に1966年の国連総会で国際人権規約「経済的、社会的権利に関する国際規約」(A規約)として採択され、国際社会においてもう一つの人権として認知されることになった。

自由権や社会権が第一世代や第二世代の人権と呼ばれたのに対して、1977年ユネスコ人権・平和部門長カレル・バッサク(Karel Vasak)は自らの論文で第三世代の人権として「連帯の権利」を挙げている。具体的には、「発展の権利」「環境の権利」「平和の権利」「人類の共通遺産の所有権」を含めている。要するに、これらの権利は地域社会の構想力を反映しているので、公的機関・私的機関を問わず、個人、国家、その他の組織が連帯した努力によってのみ成し遂げられる権利だと述べる(Vasak1977：29)。

なお、国連では1986年12月4日の第41回総会で「発展の権利に関する宣言」が採択されている。ここに「発展の権利」が自由権や社会権に続き第三世代の人権として認識され、第1条で「人権としての発展の権利」が明確化されている。ただ「発展」が意味する内容はかなり包括的だった。基本的な生活水準だけではなく、教育、保健衛生、食糧、住居、雇用、公正な所得分配なども含まれている。一言でいえば、人間らしい生活の保障になるだろうか。

他方、「発展の権利」と表裏一体の関係にあるのが「環境の権利」である。1972年にスイスに本部を置く民間シンクタンクであるローマ・クラブが天然資源の枯渇や環境汚染の深刻な状況を背景に、世界の経済成長や人口増加によって100年以内に「成長の限界」を迎えるという衝撃的な報告を発表した。また、同年6月にスウェーデンのストックホルムで「かけがいのない地球」をキャッチフレーズに113カ国が参加する国連人間環境会議が開催され、「人間環境宣言」が発表された。この会議をきっかけに国際社会の環境問題を専門に扱う国連環境計画（UNEP）が創設された。

同会議の20周年を記念して、1992年6月にリオデジャネイロで国連環境開発会議（UNCED）が開催された。UNCEDは環境と開発という2つの権利が同時に議論された。ただ、環境と開発が一体的に議論されたのは「持続可能な開発（Sustainable Development）」が世界に広まる契機になった87年の「環境と開発に関する世界委員会」だった。ノルウェー首相ブルントラントが議長を務めたのでブルントラント委員会とも呼ばれた。同委員会が提出した報告書『われら共有の未来』（*Our Common Future*）では環境と開発は両立可能だと謳われた。

ただ、「持続可能な開発」とは「将来世代のニーズを損なうことなく現在の世代のニーズを満たす」という、「言うは易しく行うは難し」の曖昧模糊としたフレーズだった。しかしながら、このフレーズには先進工業国と、特に新興工業国を含む発展途上国の環境と開発の立場の違いが反映されていた。なお、UNCEDは「地球サミット」といわれたように、当時の国連加盟国172カ国の政府代表、116カ国の国家元首、さらにはNGO代表2400人が参加する冷戦終結後の国連主導のものとしては最大規模の国際会議だった。

UNCEDの成果として、地球規模のパートナーシップ構築をめざしたリオ宣言が採択された。また、リオ宣言の実効性を高めるために「気候変動枠組条約」「生物多様性条約」「森林原則声明」「アジェンダ21」の採択や署名が行われている。気候変動枠組条約採択の流れとして京都議定書があり、ポスト京都議定書としてのちのパリ協定へとつながっていくことになる。リオ宣言の進展状況を確認する「リオ＋10」が2002年にヨハネスブルクで、12年には再びリオデジャネイロで「リオ＋20」が開催されている。

このように、人権の概念は自由権から社会権、さらには開発権や環境権へと拡大されている。それでは、これらの人権の概念は西欧を淵源とするリベラル・デモクラシー国家だけを対象とした諸権利なのだろうか。結論からいうと、非民主的なリベラリズム国家、非リベラルな民主国家、さらには権威主義国家のいずれにもそれぞれに対応可能な「人権」が存在する。換言すれば、人権の概念が拡散したことでそれぞれの政治体制に選択可能な「人権」が存在しているといえるだろう。

例えば、リベラル・デモクラシーの代表的なアメリカは権威主義国家の中国とともに世界最大規模の温室効果ガスの排出国であり、両国で全世界の40％以上を排出している。しかしながらアメリカは、2001年に京都議定書を離脱し、新たな環境ガナバンスの枠組みとして世界各国が参加しているパリ協定に対しても、「不公平な経済的負担」を強いていると批判し、トランプ政権のマイク・ポンペオ国務長官が17年にパリ協定の離脱宣言をし、19年11月に正式に国連に離脱を通告している[8]。

新大統領のバイデンは気候変動・環境問題を重視し、パリ協定への復帰を宣言している。他方で、中国は2020年10月に開催された第19期中央委員会第5回全体会議（5中全会）の35年までの長期目標のなかで、温室効果ガス排出量を減少させる行動計画を定めている。20年9月の第75回国連総会の一般演説では、トランプ大統領が「中国の野放図な環境汚染」を批判した一方で、習近平国家主席は「『パリ協定』が示した方向性は、地球を守るための最低限の行動であり、各国は決定的な一歩を踏み出さなければならない」と行動計画に言及している（『読売新聞』オンライン2020年9月24日）。

さて、ここで改めて政治体制の相違と錯綜する人権の振り分けを考えるために、「人間の安全保障（HS）」と「非伝統的安全保障（NTS）」

の2つの概念を導入して、両者の共通点と相違点を明らかにする。自由民主主義国家が推進するHSは個人の権利・福祉を注視する人権重視の概念である。他方、権威主義政治体制が受け入れるNTSでは国民が遭遇する脅威からの安全は、第一義的に国家が責任を負う。HSがボトムアップ的な個人の安全保護が出発点であるのに対して、NHSはトップダウン的に国民を包摂する国家の安全保護の観点から出発する。ただ、HSもNTSも共通して「非軍事的・非武装的安全保障」である点は共通する（山田 2020：116-120）。

HSもNTSも結果的に現代社会が直面するさまざまな脅威から個人、あるいは国民を保護する点では共通することになる。ここでは、アジアでNTS問題を研究する中核的役割を担っている南洋工科大学ラジャラットナム国際学スクールNTSセンター長メリー・カバレロ＝アントニー（Mely Caballero-Anthony）の定義を参考にしてみる。彼女はNTSが非軍事的脅威である点を踏まえて、NTSの脅威の6つの特徴を指摘する（Caballero-Anthony 2016：6）。

①脅威の起源、発端、影響に関しては事実上脱国家的である。
②脅威は国家間競争あるいは、勢力均衡上の変化に由来するものではない。しかし、しばしば政治的・社会経済的な用語で定義される。
③資源の欠乏や変則的な移民のような非伝統的安全保障問題は政治的・社会的な不安定を引き起こすので、安全保障上の脅威となる。
④気候変動のような他の脅威は、人間が引き起こした混乱であり、自然の脆弱な均衡が回復も転換も困難な場合には、しばしば国家と社会の両方に悲惨な結果をもたらす。
⑤単一の国家の解決だけでは不十分なため、必然的に多数の地域や国家間の協力を必要とする。
⑥安全保障が指すものはもはや国家（主権国家あるいは領土保

全）だけではなく、個人ならびに社会のレベルの両面から国民（生存、福祉、尊厳）が対象になっている。

カバレロ＝アントニーがセンター長を務めるNTSセンターは、シンガポールに本部を置いている。シンガポールは非リベラルな民主主義国家で、政治的には「部分的に自由」な領域に分類されている。編著『非伝統的安全保障研究入門』（*An Introduction to Non-Traditional Security Studies*）には前述の6つのNTSの特徴を紹介すると同時に、UNDPの総裁特別顧問として『人間開発報告書』作成に大きな貢献を果たしたマブーブル・ハクがHSに言及した内容に触れて、改めて安全保障をめぐるHSとNTSとの相違を明確にしている。

ハクは「国家の武装にではなく、人々の生活に反映される新しい安全保障の概念」を4点に集約する。①「領土の安全保障だけではなく、人々の安全保障」であり、②「国民の安全保障だけではなく、個人の安全保障」である。さらに③「武器を通じた安全保障ではなく、発展を通じた安全保障」であり、④「家庭、仕事、街、地域社会、周囲の環境の至るところすべての人々の安全保障」であり、「人間の安全保障は個人を保護することである」という、ハクの「人間の安全保障」の考え方を紹介する（Caballero-Anthony 2016：7-8）。

改めて整理すると、「人間の安全保障（HS）」はあくまでも個人を基本に、安全（保障）を重視した考え方であり、「非伝統的安全保障（NTS）」は国民国家を前提とした考え方になる。換言すれば、前者は人権が最重要事項であるのに対して、後者は人権を包摂する国家の役割と維持が最重要事項となる。

NTSに関しては、共産党一党独裁体制の中国においても「非軍事的・非武装的安全保障」として広く受け入れられている。王名は中国における10大NTS事件を列挙する（王名 2011：22，図表1-4）。2003年のSARSとエイズ、09年の豚インフルエンザ（H1N1）の感染症、07年の太湖汚染、08年の氷凍災害、同年の粉ミルク汚染、同年の四川大地震の事件は一般的にHS問題と重なる。また、09年の世界的な金融危機も非軍事的な経済への損害の結果、人々の生活基盤を脅かした点でHSと共有可能な事件だろう。

ただ、2008年のラサ事件と翌年の新疆事件は中国国内の民族問題であり、いったい誰のための安全を担保するのかが問われる。王名は、前者はチベット地域住民が被害を受けると同時に国民全体に影響を及ぼし、後者は新疆地域の不特定多数者が被害を受けることで国民の一部に影響を与えた事件と分類する。また、両事件における加害者はチベット独立派や新疆独立派であることから、それ以外の平和に暮らす中国国民あるいは一部の国民が財産・生命の危機に晒されて安全が脅かされたと王は述べる。

要するに、中国が「国家の安全保障と国家主権に執着」していることから、両事件とも十分に国家（国民）の安全を脅かしたものと考えられるのだ。国民の安全ならびに個人の安全の保護の観点から、中国の立場では民族問題は「テロリズム」の範疇としてNTS問題に属するが、西欧自由主義世界においても「テロリズム」はHSに対する脅威として語られ、結果的に問題意識が共有される。典型的な事例として、2001年9月の同時多発テロが挙げられる。同事件は人々を震撼させ、アメリカの対テロ予防戦争を世界は受け入れた。例えば同年10月に上海で開催されたAPEC（アジア太平洋経済協力会議）首脳会談では「反テロ声明」が採択された。11月に開催されたASEAN首脳会議でも「反テロ共同行動ASEAN宣言」が採択されるなど、中国も含めて世界は反テロリズムで連帯していくことが趨勢になっていった（山田2020：120-131）。

テロリズムは前述したNTSセンターにおいても重要なNTS問題の一つとして位置づけられている。ただその一方で、きわめて政治的な問題でもある。特に自由民主主義国家と権威主義国家ではテロリズムに関する微妙な認識のズレが生じ始めている。中国政府が新疆ウィグル自治区で行っている100万人規模の「過激派の再教育プログラム」と称する政策は、国際社会から人権侵害行為として強く批判されている。国連人権理事会も2018年8月に「大規模強制収容所」施設として認識し、アメリカ議会も同年10月に報告書を公表して批判している（山田2020：注4）。

また2020年1月以降、世界に拡散し、3月にはWHO（世界保健機関）がパンデミックとして認定した新型コロナウイルス（COVID-19）はHCおよびNTCの観点からともに最大の脅威となっている。同感染症は中国の武漢が発生源とされているが、中国政府の強権的な感染対策で4月の都市封鎖が2カ月半で解除されるまでに成果を収めている。しかし他方で、強引な手法に対する批判的な言説が世界のメディアに流れた。中国は同年2月にピークを終え、3月以降にはイタリアとスペインを中心に欧州へ、4月にはアメリカに拡大し、その感染者数や死者数は中国をはるかに上回っている。中国紙『環球時報』は「欧米は新型コロナウイルスへの警戒と対応が手ぬるく、感染を広げてしまった。このことを省み、対策を改めるべきだ」（『日本経済新聞』2020年3月17日）と事実上中国政府の代弁をしている。

中国共産党に対する国内からの批判をかわす狙いは当然あるにせよ、このような人類を襲う共通のNTSの脅威には、単一の「国家の解決だけでは不十分であり、ゆえに必然的に地域や多数国間の協力」が必要になることはすでに確認したところである。それにもかかわらず、発生源や中国の感染者統計の信憑性をめぐる米中の中傷合戦、トランプ大統領による「WHOは中国寄り」発言やWHOへの資金拠出の見直し、さらには2020年7月の脱退宣言などは新型コロナウイルスに対する脅威の解決に向けた対応どころか、国際社会全体の亀裂を引き起こすことになった。

その一方で、中国はWHOへの寄付金を決め、感染の拡大化が顕著になっていくイタリア、イラン、イラクへの医療専門家チームの派遣を行い、現地での治療にあたった。これらが、その後のマスク外交やワクチン外交につながっていく。しかし他方で、感染者がピークを迎えた2月時点では、日本をはじめとする世界各国から中国は支援を受けていた。中国の感染症拡大の抑止において、政府の強権的政策が寄与したことは否定できない。ただその一方で、透明性が確保されていないことで、自由民主主義国との情報共有が難しいことも明らかになった。2020年9月の国連総会でトランプ大統領が「中国ウイルス」と中国を徹底的に批判した所以である。今回の感染症拡大のプロセスを検証していくと、個人の安全と国家の安全のアプローチの相違が明解になる。HSとNTSのともに共通する危機である新型コロナウイルスであるにもかかわらず、両者のアプローチの相違と感染拡大の大小が顕著に現れた事例であるといえる。

最後に、HSとNTSにおける安全保障問題に関する認識の問題である。つまり、誰がある問題を脅威として発話し、政治化させるのか。また、脅威を政治化するためにどのように公的な課題として位置づけるのか。このプロセスをモデル化したのが「安全保障化（securitization）」理論である。同理論はバリー・ブザン（Barry Buzan）らのコペンハーゲン学派が提唱したものである。本多美樹はブザンらのいう安全保障化とは「実施者（一義的には国家）による言語行為を通じて展開され、その言語行為が聴衆に受容された場合に『実存的脅威』として扱われ」、政治化のプロセスを経て「安全保障化される状態」となると述べる（本多 2018：128）。

確かにブザンらの安全保障化モデルは、脅威という曖昧な「安全保障問題」がどのようなプロセスで国民に受け入れられていくのかを理解するうえで一定の示唆を与えた。しかしながら、なぜ欧州発のモデル化であるのかを考える必要がある。自由民主主義諸国では政府からの言語行為とは限らない個々の自由な発言を背景に世論形成され、国民が安全保障問題を国家の存立に関わる脅威と受容することが可能になる。他方で、権威主義国家のように政府によって一方的に政治化することも可能である。つまり、ある集団が脅威の認識が異なることで反対を唱えることが困難になる危険性がある。例えば、誰が誰を何をもって「テロリスト」と認識させ、政治化させるのかなどは、過度の安全保障化問題を引き起こす懸念が生ずる。その意味では、HSとNTSの脅威認識の相違が生起することになる。

3.「まだらな発展」の実相

かつて第二次世界大戦後の国際社会では、イデオロギーに基づく東西問題と同時に、北半球に位置する先進工業国（北側）と多くが南半球に位置する発展途上国（南側）との間に生じた貧富の格差を背景にした南北問題に直面した。当時のアメリカのジョン・F・ケネディ大統領が1961年9月の第16回国連総会演説で、国際社会には東西問題とともに南北問題が存在すると述べ、その解決に向けた問題提起を行った結果、「国連開発10年」が採択された。その後、第1次「国連開発の10年」と名づけられ、10年ごとに第2次（70年代）、第3次（80年代）へと途上国の開発戦略がはじまった。

アメリカでは1961年に対外援助法が成立し、援助実施機関として知られるアメリカ国際開発庁（USAID）が設立された。また、65年に発足した日本の「青年海外協力隊」（JOCV）のモデルになった国際協力ボランティア組織ピース・コープ（平和部隊）も創設される。国際社会では、60年に世界銀行グループの国際開発協会（IDA）と経済協力開発機構（OECD）の開発援助委員会（DAC）の前身も設立されるなど、「南北問題」解決へ向けた取り組みが顕著になった。

第17回国連総会では南北問題を中心的に討議する常設機関の設置が決議され、1964年に常設の政府機関また総会の補助機関として国連貿易開発会議（UNCTAD）が設置された。66年には国連開発計画（UNDP）、国連工業開発機関（UNIDO）、アジア開発銀行（ADB）など、開発や援助を主目的とする国連関係諸機関が相次いで設立された。

1960年代に注目されるようになった南北問題だったが、当然ながら米ソ東西冷戦を背景に両陣営がそれぞれの拡大をめざして援助合戦を繰り広げていた。当時の開発理論としてウォルト・ホイットマン・ロストウ（Walt Whitman Rostow）の『経済発展の諸段階』が知られている。ロストウは5つの発展段階で3段階目にあたる「離陸」が重要だと述べる。つまり、植民地体制下のモノカルチャー経済に基づく伝統社会からの「離陸」が経済成長や大量消費を前提とする近代化や産業化への転換点になると彼は指摘した。また、途上国への大量の資本と物資支援が途上国の経済を活性化させ、結果的に途上国の貧しい人々へ恩恵が滴り落ちるというトリクルダウン理論も盛んだった。

これらの西欧型の理論は功を奏したとはいえず、UNCTAD初代事務総長ラウル・プレビッシュは「援助より貿易」を掲げて、先進工業国主導の国際経済秩序の転換を求めた。1973年の第一次石油危機を契機に資源ナショナリズムが途上国で高まり、UNCTADを主導した77カ国グループを中心に74年の国連総会では「新国際経済秩序（NIEO）」の採択に至った。これは「IMF=GATT体制」下での不公平な交易条件の是正を求めるものだった。

しかしその一方で、途上国側が石油危機を梃子に先進工業国側に新たな経済秩序を求めたものの、アメリカを主導とする先進工業国の結束が高まり、むしろ途上国側の分断が進むことになる。その結果、資源の有無を背景に「南南問題」が顕在化することになった。他方で、先進国側も1970年代の2度の石油危機で世界的な景気後退、失業の増加、激しいインフレの同時進行というスタグフレーションに直面する。先進国は高いインフレを抑えるために高金利政策を導入するが、他方で途上国は高金利の貸付に直面することで重債務国が増加することになった（中野 2010：27-36）。

1990年代は、「大きな政府論」を主導してきたケインズ経済学から「小さな政府論」に基づく新自由主義（ネオ・リベラリズム）経済学に政策の軸が変化していくことになった。国際通貨基金（IMF）

や世界銀行は、構造調整計画（SAP）に基づくコンディショナリティをつけて途上国へ融資をしていく。アメリカの主要な官庁、IMFや世界銀行の本部がワシントンDCにあることから「ワシントン・コンセンサス」の名称が定着する。

新自由主義経済のもと、重債務に苦しむ途上国はIMFや世界銀行の求める構造調整アプローチに応じて、政府補助金の削減、市場経済化、民営化、貿易と金融の自由化、規制緩和などの小さな政府政策を進めざるを得ない状況になった。1990年版の世界銀行発行の『世界開発報告』では、アジア経済[9]を除く他の途上国経済を「失われた10年」と呼び、多くの途上国で人々の貧困が深刻化していることが報告された。

具体的には、1980年代の1人当たりの実質GDP成長率をみると、東アジアが6.7％、南アジア3.2％、中央･北アフリカ0.8％、ラテン・アメリカ・カリブ海 −0.6％、サハラ以南アフリカが −2.2％で、アジア地域を除くと他の途上国はゼロ成長かマイナス成長になっていることが報告されている（世界銀行1990：6-10）。これら低成長の背景には、累積債務問題の深刻化、第一次産品価格の戦後最低の水準化、「第二次冷戦」にともなう軍事費の増大、途上国の国内紛争や内戦の激化があった。

同報告書では、1985年における途上国の「貧困」（購買力平価に基づく1985年国定ドル価格表示で1人当たりの年所得が370ドル未満）層は途上国の11億1600万人（途上国人口の3分の1）が該当し、「最貧困」（同年所得275ドル未満）層は6億3300万人で、途上国全人口の18％に相当した。「貧困者」数を地域別でみると、南アジアが5億2000万人で地域全体の51％、中国を含み東アジアでは2億8000万人で20％、サハラ以南アフリカが1億8000万人で47％、ラテン・アメリカ・カリブ海が7000万人で19％、中東・北アフリカが6000万人で31％、途上国全体では11億1600万人で、実に途上国全人口の33％に相当する人々が貧困状況にあった（中野2010：35-36）。

このように、冷戦後に本格化する1990年代のグローバル化以前の状況は先進工業国と発展途上国の対比のなかで、「豊かな」北側の国々と「貧しい」南側の国々というステレオタイプの分類が「南北問題」の延長線上に存在していた。しかしながらこの二項対立的な貧富の構図は溶解していくことになる。90年代以降進展するグローバル化でよりいっそう豊かになるはずだった先進国の国内で貧富の格差が生じていく。また同様に、新興国を中心に途上国側でも国内の不平等が顕在化していく。これが筆者の指摘する2つ目の病理である「まだらな発展」の背景になる。

「まだらな発展」を理解するうえで、世界銀行エコノミストのブランコ・ミラノヴィク（Branko Milanovic）の分析が注目される。いわゆる「エレファント（像）カーブ」と呼ばれる分析である。

ミラノヴィクは、1988年から2008年までの1人当たりの家計所得の伸び率を縦軸に置き、横軸には貧困層から高所得層に至る所得分布階層を並べている。このチャートから、グローバル化にともなう所得の不均衡、つまりグローバル化による勝ち組と負け組が読み取れる。ミラノヴィクは冷戦の終結からリーマンショックまでの20年間のグローバル化で、誰が勝ち組になり、誰が負け組になったのかを分析している。

勝ち組として、グローバル化で多くの富を獲得した最富裕層を挙げ、次に特に中国、インド、インドネシア、ブラジルの新興市場経済諸国の新中間層を挙げている。これら新中間層は世界人口の3分の1以上になるという。トップ1％の最富裕層はこの20年間で60％以上の所得増になっている。その一方で、図4-1が示すように、新中間層を構成する2億人の中国人、9000万人のインド人、それぞれ約3000万人のインドネシア人、ブルジル人、エジプト人が、国民1人当たりの所得伸び率で80％や70％近辺に位置している。したがって、これら最富裕層と新中間層の2つの集団が、この20年間におけるグローバル化時代の勝ち組と位置づけられている

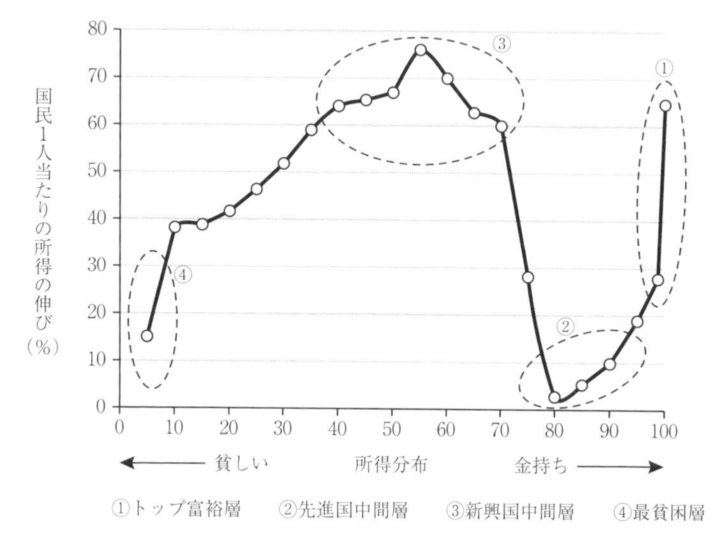

図 4-1　ミラノヴィクのエレファントカーブ
＊ 1988 年～ 2008 年の間のグローバル所得分配
出典：Branko Milanovic (2013), "Global Income Inequlity in Numbers: in History and Now," *Global Policy*, Vol.4, Issue2, p.202.

(Milanovic 2013: 202-204)。

確かに新中間層の多くの人々の所得分布は40%から70%に属しているが、例外として最貧困層（世界銀行は2015年に1日の所得が1ドル未満から1.25ドル未満に変更）5%は所得水準が変わっていない状況にある。ただ世界銀行によると、この20年間で最貧困層の割合は44%から23%に減少しているという。その一方で、この間の最大の負け組、グローバル化時代の敗者は、図4-1で示している所得分布で75%から90%に位置する先進国中間層であり、所得伸び率もゼロ近辺の状況にあることがわかる (Milanovic 2013)。

この階層を構成していたのは崩壊前の共産主義諸国、ラテンアメリカ、さらには先進工業国の国民であり、グローバル化時代の上流中産階級と目されていた人々の所得が停滞してしまっていることがわかる。グローバル化時代の所得変化は産業革命以来の仕切り直しになったとされる。概して、最貧困層を除けば、下層の３分の１はかなりくらし向きが良くなったし、その多くは極貧から逃れることができた。中間層の３分の１以上が毎年１人当たりの実質所得を3%程度増やして豊かになっているという（Milanovic 2013）。

注目すべき点は、トップ富裕層の25%で起きている現象である。トップ1%と5%以内の階層は相当の富を獲得している一方で、次の20%の階層は所得の伸びがないか、停滞しているのだ。これは富裕層間の所得分配に亀裂が起きており、具体的には世界の6000万人とアメリカの300万人のごく少数の特権階級が世界の最富裕層1%に属することを意味する。換言すれば、最富裕層がアメリカ人の12%とイギリス人、ドイツ人、フランス人、日本人に一定程度存在する。それ以外の1%の富裕層に含まれない欧州人、ブラジル人、ロシア人、南アフリカ人は同階層入りをめざして互いに競っているとミラノヴィクは指摘する（Milanovic 2013）。

最後に、勝ち組に属する新興国中国とインドなどの新中間層に言及しておきたい。1988年時点での中国の中央値の所得階層はわずか世界人口の10%強だったが、20年後の所得分布をみると、世界人口の半数以上の人々よりも豊かになっている。また、インドの中央値の所得は、より穏やかではあるが、世界的に10番目から27番目へと、同様にインドネシアも25番目から39番目へ、ブラジルは40番目から66番目へと階層分布が上昇している（Milanovic 2013）。これらの国々の新中間層の存在が該当国家の所得の平均値を増大させているものと思われる。

ミラノヴィクのエレファントカーブの背景を読み込むと、経済のグローバル化によって、先進国の消費者は新興国からの安価な輸出製品を購買する一方で、それら安価な製品を生産するために先進工業国の企業は生産拠点を新興国・途上国へと移動していくことがわかる。他方で、先進工業国では「産業の空洞化」といったフレーズが構造不況業種とともに浸透していくことで、先進国の中間層の雇用は奪われていく。その結果、先進工業国では失業で所得の伸びが停滞する一方で、新興国の雇用は逆に増大していく。グローバル化は世界経済の規模を大きくはしたが、結局新興国の中間層を生み出すことの引き換えに、先進国の中間層の所得減少を同時に生起させたのである。ただその一方で、世界の最貧困層は依然として変わらず存在し続けている。

さて、グローバル化を背景にしたマクロな経済格差の構造は理解できたが、それではなぜ先進国内の所得格差がこれほど顕著になっていったのだろうか。これについては、2014年に翻訳版が刊行されたトマ・ピケティ（Thomas Piketty）の『21世紀の資本』が参考になる。ピケティは世界各国の大量の税務統計データを基に「富める者はますます富み、そうでない者との格差が開いていく」という命題を検証している。ピケティの理論ではいくつかのポイントがある。まず、フローの所得から富の格差を比較した結果、「トップ10%はだいたい国富の60%を所有している」という分析である。

次に、有名な資本収益率（r）と経済成長率（g）を比較し、r＞gを実証したことである。つまり、株式、預金、不動産などの資本を持っている方が年間収益率が高い。労働賃金を増やすよりも資本を再投資する方が富を増大させるとピケティは指摘した。年間の国民所得というフローではなく、ストックの資本に注目し、欧州の事例を基に戦後から資本の蓄積が増加していることを明らかにしたのだ。また、資本の蓄積に影響する要因を分析し、「富める者がますます富む」という富の格差の構造を解明し、結果的に「格差の拡大は相続（世襲）によって強化される」と結論づけた。

トリクルダウン理論が示すように経済が成長すれば、いずれその恩恵は社会全体に拡散し、所得格差は自然と縮小していく、という考え方に異論を唱えたわけである。ピケティの議論で興味深いのは、富裕層が有する株や土地などの資産に目を向け、貯蓄や投資による増大が結局経済成長にともなう労働者の賃金上昇よりも速いことを検証したことである（r>g）。

ベストセラーになった『21 世紀の資本』では、資本主義で資産を有する人々がますます富を獲得し、資産がない者との所得格差は一段と広がると述べている。また、格差是正のためには累進課税が有効であるとも訴える。前述したミラノヴィクのエレファントカーブとピケティの理論を重ね合わせると、最富裕層のほとんどは資産を有しており、グローバル化時代でさらに資産を増大させたことが推測される。他方で、世界的な経済成長を背景に、先進国中間層は賃金労働者として富の分配が増加するどころか、むしろ自国の企業の生産拠点が新興国へ移転することで雇用が奪われて貧困へ追いやられている。併せて、移民や難民も彼らの職を奪う存在となった。なお、当初から経済成長に関与できない最貧困層は蚊帳の外に置かれたままの状態である。

さて、先進国中間層の置かれている生活状況の悪化と政府への不満がアメリカのトランプ大統領の当選やイギリスの EU 離脱（Brexit）の遠因になったといわれている。アメリカやイギリスにおけるラストベルト地帯と呼ばれる製造業の構造不況で解雇された中間層の不満や怒りが「アメリカ第一主義」を訴えたトランプ政権を 2017 年 1 月に誕生させたのである。また、イギリスでは保守党や労働党の二大政党の凋落が顕著になっていくが、その背景に「置き去りにされた」人々の存在があった（水島 2016：173-176）。

アメリカとイギリスはリベラル・デモクラシーの本家といっても過言ではないだろう。その両国ではいまや民主的諸制度に対する脅威としてポピュリズム政治の存在が語られている。水島治郎はポピュリズムが「既成の政治エリート支配に対抗し、政治から疎外された多様な層の人々、すなわち農民や労働者、中間層などの政治参加と利益表出の経路」として「積極的に活用された」と述べる。また、現在のポピュリズムは「解放の論理」と「抑圧の論理」の両面を有しているという（水島 2016：5）。

水島は現代社会におけるポピュリズムの２つの定義を紹介する。第１に「固定的な支持基盤を超え、幅広く国民に直接訴える政治スタイル」を指している。したがってポピュリズム政治家とは、「それまでの政治スタイルに変化をもたらし、斬新な政治手法を採用することで、国民に幅広くアピールすることに成功した指導者」を意味する。

第２に「『人民』の立場から既成政治やエリートを批判する政治運動」である。つまり「ポピュリズムとは、政治変革を目指す勢力が、既成の権力構造やエリート層（および社会の支配的価値観）を批判し、『人民』に訴えてその主張の実現を目指す運動」という定義である。この定義は政治における二項対立を想定して「人民」を善、エリートを悪として描く。このようなポピュリズムの考え方が、近年の政治学で主流になっていると指摘する（水島 2016：6-7）。

イギリスの代表的なポピュリズム政党としてイギリス独立党（UKIP）が挙げられる。UKIP は欧州懐疑派の右翼政党としてイギリスの EU 離脱の先導役を担い、実際に 2016 年６月の EU 離脱の是非を問う国民投票で Brexit を実現させた。UKIP の支持層獲得の戦略は、従来から保守党支持層が多いイングランド南部や東部の農村部を切り崩すことだった。ちょうどトニー・ブレア労働党政権が都市部再生を掲げたことで、農村部の荒廃が進み、二大政党への不満が鬱積していたのである。

他方で、労働党の支持基盤だったイングランド中部・北部の工業地帯への食い込みも進む。これら地域にはブラックカントリーといわれた鉄鋼業地域の中心都市バーミンガムがあり、綿工業地域のランカシャー、工業都市のマンチェスター、毛織物業のヨークシャーやリーズなど、工業の中心地だった。これらイギリスの経済を牽引してきた地域が構造不況産業として衰退し、地盤沈下が顕著になった。

UKIP は、これらかつての隆盛を誇った工業地域で失業率や社会給付の受給率が高く、政治不信が急増している支持層を労働党から奪い取っていくことになった（水島 2016：161-169）。

アメリカにおけるトランプの登場は、イギリスでのBrexit と同様の背景があった。グローバル化時代を迎えたことで、五大湖周辺の中西部の製造業が構造的不況に陥り、労働者の賃金は上昇することなく、むしろ失業に直面したのである。トランプの2016 年大統領選挙における支持層が高卒以下のブルーカラーだったと指摘されるが、まさにこれらの工場労働者がアメリカの経済成長を支えてきた階層だった。先述したように、グローバル化時代でブルーカラーは厳しい経済状況に置かれてきたのである。また同様に、中西部や南部の農家においても自由貿易による輸入品の農産物の打撃でトランプ支持にまわったのだ。

グローバル化時代で明確になったのが、冷戦時代のような国境で隔離された世界ではなく、ヒト、モノ、カネ、情報が自由に行き交う、まさに再三指摘してきたフクヤマのいう「歴史の終わり」が背景にあった。グローバル化とは自由貿易主義によって世界経済の成長を促すことだった。毎年、スイスのダボスで開催される「世界経済フォーラム」は自由貿易の推進を謳った先進国の政治指導者や欧米の企業家の集まりである。

ただその一方で、すでに述べてきたように、グローバル化は先進国から途上国への製造業の移転を進める一方で、先進国はより高度な産業構造の転換を求められたのである。その一つとしてデジタル革命がある。その結果、従来の製造業に従事していた労働者は雇用喪失と賃金の低下に直面し、低賃金の埋め合わせとして移民が雇用されていく。欧米の右派・右翼政党の躍進が移民・難民の排斥を訴えて躍進していった主要な背景でもある。前述したイギリスのUKIP やアメリカのトランプが明確に移民の排斥を訴える「自国第一主義」を政策に掲げたことは言うに及ばない。

最後に、本節のまとめとして次のことがいえる。それは現在の「先進国」がもはやかつての「先進国」ではないということである。先進国自身が国内の分断を抱えている。リベラル・デモクラシーにおける「社会権」や「生存権」が脅かされることで「自由権」というもっとも西欧世界が重視してきた人権の優先度が下がってきているのだ。その証左が、移民・難民排斥の動きであり、それを訴える右翼・右派政党への支持率の高さと躍進である。

アメリカやイギリスのリベラル・デモクラシーを牽引してきた二大政党への支持率が低下する一方で、ポピュリズム政党の存在感が高まり、ポピュリズム政治指導者の発言に注目が向く。エレファントカーブの背景にあるように、先進国では高度なデジタル革命などの産業構造の変化に対応できない中間層が滞留するどころか、むしろ富裕層との富の格差を一段と拡大させている。要するに、かつての中間層の幅が狭まり、上層と下層の乖離が著しく広がり、圧倒的な経済力を有する富裕層と、雇用が不安定な低賃金の労働者という二極化が各国で進行しているのだ。これこそが本書で指摘する「まだらな発展」の背景になる。

2020年11月3日の投票でトランプとのアメリカ大統領選挙を制して第46代大統領に決まったバイデンは、社会の分断の克服を訴えた。20年11月7日夜（日本時間は8日朝）の勝利宣言の演説で「アメリカの魂を回復するため、国の背骨である中間層を立て直し、再び世界から尊敬されるアメリカとするためにこの職を目指した」（各メディア報道）と述べている。トランプ大統領が前回選挙でヒラリー・クリントンに逆転勝利した最大の理由は、主として中西部のラストベルト地帯の中間層の支持を得たからだった。バイデン自身も中間層の立て直しこそが喫緊の課題であることを十分に認識しており、それに取り組むことが社会の分断を克服することだと理解している。

また、かつての「発展途上国」は新興工業国と依然としてモノカルチャー経済に依存する途上国に分断される一方で、それぞれの国内における貧富の格差は拡大し、中国やインドなどの新興工業国は世界の製造業の生産拠点として高等教育を受けた新中間層の所得が増大している。しかし他方で、長時間労働や劣悪な労働環境のなかで、「デジタル農民工[10]」のような労働形態が拡大しており、全く富の分配に与らない「取り残された」貧困層も存在している。

このように、先進国のみならず新興国、さらには途上国でも「自由」を抑圧・剥奪されても、まずは経済成長を促す政府を有権者が選択する動きが顕著である。政治社会の安定よりもまずは経済の安定を優先し、選挙がますます形骸化していくという「非リベラルな民主主義」、さらには「権威主義」を選好する傾向がポピュリズムの台頭とともに増大しているのだ。ここにも「走錨する民主主義」が垣間見える[11]。

第5章　SDGsは国際協調主義を復活させる契機になるのか

1. 21世紀最初に格差是正へ取り組んだMDGs

前章では「まだらな発展」の背景を分析してきた。もちろん国際社会は国内における「まだらな発展」を黙認してきたわけではない。1997年1月より第7代国連事務総長に就任したコフィ・アナンは前述した世界でもっとも貧困地域とされるサハラ以南アフリカのガーナ出身だった。アナンは、2000年に国連でミレニアムを記念する特別サミットの開催を企画した。これは新世紀を迎えるための特別サミットで、依然として加盟国間の共通アジェンダになっていない貧困問題を扱う絶好の機会だと彼は考えていた。

アナンは2000年3月に加盟国に向けて、具体的な貧困撲滅を求める明確で簡潔なターゲットを設定し、『21世紀における国際連合の役割』という報告書を作成した。また、貧困の概念には単に収入の欠如だけではなく、教育格差、保健サービスの供給不足、栄養失調、飲料水の不足、女性の隷属的地位、環境の悪化など、貧困を原因とする多面的な機会の剥奪も含められた。そのため、深刻な貧困を解消していくうえで外部からの支援の必要性が訴えられたのである（アナン2016下巻：16-19）。

アナンは同報告書の実質化をめざして、国際NGOのオックスファムをはじめとする各国から参加した国際NGO、世界の宗教指導者、議会代表などとの会合をミレニアムサミットと並行して開催し、世界のメディアとも連携して147カ国の首脳が参集したサミットの成果を発信した。その結果、報告書で言及された貧困解決のゴールとターゲットが国連ミレニアム宣言（MDGs）として、189カ国のすべての国連加盟国とその他23の国際機関の調印で結実したのである（アナン2016下巻：16-19）。

アナンは自身の回顧録で、ミレニアム宣言は「すべての加盟国による、世界中での極度の貧困や搾取と戦うという強い誓い」であり、「この宣言は、国家の権利と保護よりも、世界の最も虐げられた人びとの苦しみを軽減し、終わらせるためにすべての政府が持つ責任と説明責任の原則に照準を向けた」ものだと述べている（アナン2016下巻：21）。アナン自身が幼少期にアフリカの貧困状況を間近にみてきたことがミレニアム宣言への強い動機になったのである。

MDGsには開発目標として、1. 極度の貧困と飢餓の撲滅、2. 初等教育の完全普及の達成、3. ジェンダー平等推進と女性の地位向上、4. 乳幼児死亡率の削減、5. 妊産婦の健康の改善、6. HIV／エイズ、マラリアその他の疾病の蔓延防止、7. 環境の持続可能性の確保、8. 開発のためのグローバル・パートナーシップの推進の8項目が掲げられた。

これら8項目の目標に向けた各ターゲットの実施状況に関する評価として、達成最終年度となる2015年に『国連ミレニアム開発目標報告書』が発行されている。アナンの意志は次の潘基文国連事務総長に引き継がれていくが、同報告書では目標1について、1990年の途上国の半数近くが1日1.25ドル未満で生活していたのが、2015年には14％まで大幅な減少を達成したとしている。また、1990年に極度の貧困層が19億人だったのが、2015年には8億3600万人の半数以下に減少していると報告されている。

目標2についても2000年の途上国における初等教育純就学率が83％だったものが、15年には91％までに上昇している。非就学児童数が1億人から5700万人へと半減している。目標3のジェンダー格差の解消も相当程度達成され、目標4では5歳児未満の幼児死亡率が1990年から2015年の間に出生した1000人あたり90人から43人へと半減、目標5では1990年以降の妊産婦死亡率は45％に減少し、2000年以降の減少が顕著になっている。

目標6では、HIVの新たな感染者数が2000年から13年までに約40％低下し、目標7でもオゾン層破壊物質は1990年以来実質的に除去され、今世紀半までにオゾン層は回復することが見込まれている。最後に目標8であるが、先進国からの政府開発援助（ODA）が、2000年から14年の間に実質66％増加し、1352億ドルに達したことが報告されている。主な改善点のみを掻い摘んで取り上げたが、概ねアナンが意図したMDGsに向けた国際社会の取り組みに一定の評価が可能だろう。

ただその一方で、すでに前章でさまざまな角度から検討してきたように、最貧困層と最富裕層世帯における所得格差は一段と開いている。途上国世帯の下位20％の最貧困層と上位20％の子どもの成長を比較すると2倍の格差が生じ、また学校に通える比率も4倍の格差となり、5歳未満幼児死亡率も2倍の格差となっている。他方で、農村部と都市部における利便性による格差も拡大していると報告されている。

例えば、農村部での熟練医療従事者立ち合いによる出産が56％なのに対して、都市部では87％であり、改良された飲料水へのアクセスが困難な割合はそれぞれ16％と4％と開きがある。改良された衛生施設の利用が困難な割合も半数と18％であり、農村部と都市部での日常生活の利便性に大きな格差が依然として残っている。MDGsが一定の成果をあげたことは間違いないが、「多くの成功の陰で、最も貧しい人々、最も脆弱な人々が置き去りにされている」現実を直視する必要があると同報告書では総括している。

そこで、MDGsが終了する2015年に新たな開発目標である「持続可能な開発目標（SDGs）」が17項目の目標（ゴール）を掲げて同年9月に発足した。SDGsはMDGsの残された課題解決への目標を継承している一方で、すでに述べてきた開発と環境に関わる1990年代のさまざまな国際会議と、それにともなう国際的な宣言が「持続可能な開発」の概念へと結実したのである（堀江 2018：181-185）。

SDGs は 17 の目標を 2030 年までに達成することを謳っている[12]。SDGs 達成への取り組みに関して、19 年 9 月の国連「SDG サミット」では 15 年の採択後以降の 4 年間の取り組みに関する評価を行っている。同総会でアントニオ・グテレス国連事務総長は SDGs への取り組みは進展しつつも、「あるべき姿から程遠く」、取り組みの拡大を前提に「2030 年までを SDGs 達成に向けた『行動の 10 年』とする」[13]必要性を訴えている。

具体的な取り組みとして、①グローバルな取り組み、②ローカルな取り組み、③人々の行動（市民社会、メディア、アカデミア、若者）が重要だと述べる。また、「行動の 10 年」の進展のためのプラットフォームを毎年開催するという。同様に、総会議長ムハンマド・バンデも達成の遅れと取り組みの加速化の必要性を訴えている。そこで、「全ての国が行動する」普遍性、「誰一人取り残さない」包摂性、「全てのステークホルダー」が役割を持つ参画型、総合的に取り組む「統合性」、定期的にフォローアップする「透明性・説明責任」の 5 原則を備えて 2030 年の達成をめざすと述べている[14]。

このように、SDGs 達成のためにステークホルダー全体が努力を課せられ、まさに国際社会全体の取り組みとなっている。2019 年の「SDG サミット」は国連事務総長、総会議長、各国首脳、国際機関の代表が参加することで、「SDG サミット政治宣言」を政治公約として再確認したのである。MDGs が途上国向けの開発目標に注力していたのに対して、SDGs 17 の目標には「環境」権と「発展」権という第 3 世代の人権、つまり「将来の欲求を満たしつつ、現在の欲求も満足させるような開発」という壮大なテーマを擁しているのだ。

2. SDGs に向けた日本社会の取り組みと現状

2015 年 9 月の国連総会首脳会合で全会一致の採択を受けて「誰

一人取り残さない」持続可能で多様性と包括性のある社会の実現がめざされることになった。当然ながら、国際社会の一員として日本がどのような取り組みを行っていくのかが問われている。日本政府もSDGsの国際的公約を実現するために、中長期的な戦略を掲げている。20年1月に外務省国際協力局地球規模課題総括課が示した達成実現への取り組みによると、16年5月にSDGs推進本部の設置、同年12月に実施指針の策定、17年12月以降から「アクションプラン」を定期的に策定していくという。また「ジャパンSDGsアワード」の表彰、18年6月から「SDGs未来都市」選定、同年12月より「次世代のSDGs推進プラットフォーム」の実施を国内的に推進する一方で、国連、G7・G20などの国際場裏でも日本の取り組みを訴えている。

ここでNPO法人「人間の安全保障」フォーラム編集の『SDGsと日本――誰も取り残されないための人間の安全保障指標』などからMDGsならびにSDGsのもっとも重視する「貧困」に注視して多面的な指標から日本の貧困状況を確認してみたい。まず厚生労働省の調査『平成28年国民生活基礎調査の概況』における貧困率の年次推移をみると、相対的貧困率[15]では1985年の12.0%から2000年に15.3%へと上昇し、03年に14.9%へと低下するが、14年16.1%へと再び上昇している。2015年には12年ぶりに15.7%へと、若干低下している。

次に子どもの貧困（SDGs目標1のターゲット1.2）の推移をみると、2000年代に入り経済協力開発機構（OECD）が日本における子どもの貧困率の高さを指摘している。具体的な数値を確認すると、1985年の10.9%以来一貫して上昇し、2000年には14.4%、03年に13.7%と一旦下降するが、再び上昇し14年には16.3%まで上がった。しかし、相対的貧困同様に、15年には12年ぶりに13.9%へと低下している。

2013年に子どもの将来が生育環境に左右されないように「子ど

もの貧困対策の推進に関する法律」が成立し、14年には「子どもの貧困対策に関する大綱」が閣議決定されたことが12年ぶりの低下に反映されたものと考えられる。ただその一方で、ユニセフ・イノチェンティ研究所の16年度版報告書『レポートカード13 子どもたちのための公平性——先進諸国における子どもたちの幸福度の格差に関する順位表』では、所得、教育、健康、生活の満足度を基準にした41の先進諸国の所得順において、日本は34位の低評価となっていることは大きな衝撃である[16]（ユニセフ・イノチェンティ研究所2016）。

同報告書は、「各国で最貧困層に属する子どもたちが『平均的』な子どもたちからどの程度取り残されてしまっているのかを捉える」指標を「子どもの相対的所得ギャップ」と呼び、「各国の子どもの貧困率（世帯所得の中央値の50%を下回る世帯の子どもの割合）を「子どもの貧困率」として示している（「順位表1：所得格差」）。掲載41カ国の先進諸国中34位の日本の指標の内訳を確認すると、前者の相対的所得ギャップが60.21%で下位から8番目であり、子どもの貧困率15.8%は下位14番目となっている。

ちなみに、相対的所得ギャップで50%を切っているのは1位のノルウェー37%から22位のベルギー48.41%までである。また、子どもの貧困率がもっとも少ないのが3.7%のフィンランドで、アジアで日本以外のOECD諸国である韓国の指標をみると8%で、相対的所得ギャップでも45.74%（15位）の位置にあり、隣国と比較しても日本の子どもが置かれている貧困状況の深刻さが理解できる。

また、OECD諸国のなかで、日本の貧困状況で顕著に指摘されることは「ひとり親家庭」の高い貧困率である。前述の厚生労働省の調査概況をみると、2015年の「子どもがいる現役世代」（世帯主が18歳以上65歳未満の世帯）全体の貧困率が12.9%であるのに対して、ひとり親世帯では50.1%の高さになっている。ひとり親世帯の貧困率は1985年の調査以来50%を超えており、97年には63.1%まで上昇したこともある。

2016年の各種世帯の生活意識調査でも、「大変苦しい」と「やや苦しい」を合わせた「苦しい」と回答した世帯割合をみると、全世帯では56.5%、高齢者世帯52.0%、児童のいる世帯62.0%であるのに対して、母子世帯は82.7%ときわめて高い。厚生労働省『平成28年度全国ひとり親世帯等調査の結果』では、母子世帯数が123.2万世帯、父子世帯数が18.7万世帯であり、それぞれの15年の平均年間収入は前者で243万円に対して、後者は420万円となっている。また、母子家庭の母親の81.8%が就業しており、そのうち正規従事者が44.2%で、父子家庭の85.4%のうちの68.2%に比べると、24%の開きが生じている。同じ「ひとり親世帯」でも世帯主別の年間収入の違いが顕在化しているのだ。

なお、コロナ禍（COVID-19）での状況にも若干言及しておきたい。一般企業の急激な減益に鑑みても想像に難くないが、やはり母子世帯が困難な状況に追いやられている。ここでは認定NPO法人「しんぐるまざあず・ふぉーらむ」の2020年10月20日「だいじょうぶだよ！プロジェクト」アンケート調査結果を参照してみる[17]。同アンケートは、回答者1999人の仕事へのコロナ禍の影響を児童扶養手当受給者（1677人）と非児童扶養手当受給者（322人）に分けて調査している。もっとも多い回答結果では「時間減」で44%と46%、「休業」で12%と19%、「解雇」で9%と11%になっている。ちなみに「変化なし」は32%と19%だった。それに呼応するように、児童扶養手当受給の有無に関わりなく60%弱が収入減となり、収入ゼロはそれぞれ12%と18%との回答を得ている。

なお、「受けている支援内容」（381人回答）では、70%が食料品の配布（手渡し）、20%が食料品の宅配、7%が食事弁当等の提供、その他2%、未回答1%となっている。また、支援を受ける頻度は38%が2カ月に1回程度、40%が1カ月に1回程度、13%が2週間に1回程度、5%が週に1回程度、4%が未回答だった。記述の回答では、食事の回数と量を減らす、質を落とす、調理等を工夫する、生活用品・様式を見直す、フードバンクなどの利用で食費を浮かせる、光熱費の節約、学習・遊び・文化などは公共施設を極力利用する、全ての預貯金を使い切る、生命保険から借り入れる、生活保護の申請をする、夜間はアルバイトをするなどが、家計をやりくりする手段として挙げられている。アンケート結果からは当然ながら厳しい生活の現状が窺える。

さて、日本における相対的貧困世帯の特徴として、特に65歳以上の高齢者世帯主の単身世帯、「ひとり親世帯」(大人1人と子ども世帯)、2人以上の大人のみの世帯が全体の相対的貧困率を高めるという調査結果が出ている。他方で、大人2人以上と子どもの世帯は押し下げ要因になっているという。また、相対的貧困率の上昇要因として、世帯主年齢別では、65歳以上が押し上げ要員となる一方で、30歳未満が全体の押し下げ要因になっている(内閣府・総務省・厚生労働省 2015)。

SDGs目標1「あらゆる場所のあらゆる形態の貧困を終わらせる」における「あらゆる次元の貧困の削減」(ターゲット1.2)を推進するうえで重要なことは、所得の不足のみに言及するだけでは「取り残されている子どもの実態」がわからないという指摘である。多面的な側面から検討するべきだろう(「人間の安全保障」フォーラム・高須 2019:104-107)。例えば、大学の進学率をみると、全世帯で73.3%、ひとり親世帯で41.7%、生活保護世帯で33.1%、児童養護施設の子どもが24.0%という数値が示すように、置かれた生活環境で大学進学率が異なり、結果的にその後の所得格差へとつながっていくことになる(「人間の安全保障」フォーラム・高須 2019:240-241)。

本節では「持続可能な開発目標(SDGs)」とは何かを考えてきた。17の目標は1から6までは貧困、保健、教育、ジェンダー、水などMDGsの課題を主として引き継いだ目標になる。目標7から12

までは持続可能な社会の創造に対応する雇用、エネルギー、生産と消費に関するテーマである。目標13から15までは地球サミットにおける地球温暖化と海陸の環境保全と関係する。目標16は17項目の目標をある意味で俯瞰した「平和と公正」な社会の実現であり、目標17はそれらの実現を確実にするためのパートナーシップの必要性である。

このように、SGGsの実現は国境を超えたさまざまなステークホルダー間の協力なくして2030年の達成は不可能であることを示唆する。その点で、現在アメリカを中心に国際社会でみられる「自国第一主義」では到底「誰も取り残されない社会」の実現は困難であるといえるだろう。第4章で論じたように、自由権、社会権、さらには環境権や発展権の均衡が取れる国際社会の構築が求められる。それにはまず「自国第一主義」からの脱却が重要であり、国際協調主義や多元的社会を許容する国際社会の再構築が強く求められているのだ。

第6章　リベラル・デモクラシーがめざす平和構築

本章では、冷戦後の紛争に対する国際社会の平和構築の取り組みを概観してみる。冷戦後の紛争処理は、冷戦下の米ソ両陣営に基づく関与がなくなった一方で、主としてエスニシティに依拠する国内紛争や地域紛争の増大で国連が主導する平和活動が展開されていく。また、国連は積極的に国際NGOとの連携を模索していく。1990年代に開催された国連主催の国際会議では国際NGOの存在感が増大し、従来の主権国家に基づく国際ガバナンスが、国際NGOなどの多様なアクターを巻き込むグローバル・ガバナンスへと移行していくことになる。

1. 国連の平和活動

(1) 冷戦後国際関係の状況変化

冷戦の終結で国際社会は軍備で費やされていた資金が教育や福祉にまわる「平和の配当」を期待した。しかし実際は、民族や宗教などのエスニック紛争、あるいは政府対反政府の国内紛争が頻発する。つまり、かつての国家対国家の対称的紛争から、政府対非国家体の非対称的紛争へと変化した。国内紛争激化の背景には、冷戦終結による米ソの国際社会に対する影響力の低下があった。ソ連自体はミハイル・ゴルバチョフ主導のペレストロイカ導入で1991年12月に解体され、独立国家共同体（CIS）に再編された。その一方で、アメリカは過度の軍拡競争で財政的逼迫状況に陥った。アメリカはまさに「援助疲れ」を前提とする消極的な対外政策へと転換していった。

ロッタ・テムナールとピーター・ウォレンスティーンは、紛争研究でもっとも権威のあるウプサラ紛争データプログラム（UCDP）を利用して、1989年から2014年までに勃発した武力紛争の数を挙げている（Themner and Wallensteen 2014）。

第二次世界大戦終了後の1946年から2014年までに159の地域で259件の激しい紛争が起きている。また少なくとも2集団間の片方が政府で他方が非政府組織絡みの紛争が567件で、この間毎年平均して2.19件の紛争があったと報告されている。冷戦後の世界（1989-2012年）で、紛争にともなう死者数が特に多い時期が2回ある。最初は1991年であり、51件の紛争が勃発し、高めに見積もった死者数では8万8465人となっている。単純計算で1つの紛争で約1700人が亡くなっていることになる。次に多い時期が99年で、40件の紛争があり、死者数は10万1984人で1つの紛争で平均2500人以上の犠牲者が出たことになる。

まず、1991年のピークはエリトリアの独立紛争、次の99年もやはりエチオピアとエリトリアの国境紛争が背景にあった。ともにアフリカの各地域を巻き込んだ紛争だった。90年代はアフリカでの紛争犠牲者数が多く、2000年代に入って、アフガニスタン、パキスタン、スリランカの激増を背景にして中央アジアや南アジアへと拡大していく。スリランカではタミル・イーラム解放の虎（LTTE）との紛争が09年に政府軍の軍事制圧で終結したが、その間に1万人以上の犠牲者を出したといわれる。20年に向けてはイエメン、イラク、シリアの中東地域、特にシリア紛争の被害者は依然として多い。また、この地域を中心に活動する国際テロリズム集団のアルカイーダやイスラム国（ISIS）の存在と影響力はいうまでもない。

逆にもっとも紛争犠牲者数が少なかったのは2005年で紛争の数が32件、犠牲者は高めに見積もった数で1万5000人程度だった。また紛争の数が少なかったのは10年で31件だった。しかし他方で、紛争犠牲者数は1万人以上に上った。00年から紛争の数は30件台で、05年の例外を除くと紛争犠牲者数も01年以降は高めの見積もりでも大きく減り2万5000人から3万5000人程度だった。前述した中東地域の政治社会の不安定化により12年以降は大幅に増大し、14年に至っては再び11万2000人を超える数に急増している。また、14年に紛争数が40件台に戻ったが、これはウクライナ問題に関わる紛争が加わったためである（Themner and Wallensteen 2014; Pettersson and Wallensteen 2015）。

ウォレンスティーンらは、紛争を政府と反政府間で起きる国内紛争（Internal armed conflict）、政府と非政府組織集団間の紛争でかつ他国からの干渉をともなう紛争（Internationalized internal armed conflict）、最後に2カ国以上が関与して起きる国家間紛争（Interstate armed conflict）の3類型に分けて分析している。表6-1の冷戦後の各年度の紛争総計の内訳では、圧倒的に政府と反政府の2者間（Dyads）の非対称的紛争の数が多い。要するに、1989年以後の紛争はすでに言及したように、米ソの介入が減退し、その結果エスニシティ等を背景にした政府軍対反政府集団の国内紛争が急増したのである。

なお、植民地独立をめざしたシステム外紛争（Extrasystemic Conflict）は1970年代前半で終了し、従来の対称的紛争と呼ばれた国家間紛争が皆無の年度も多数ある[18]。最後に、国内紛争に他国から干渉がともなう紛争、すなわち国際化した国内紛争は、2001年のアフガニスタン戦争、03年のイラク戦争後の特に中東地域のイエメンやシリアでの国内紛争への国際社会の関与などで増大していることは想像に難くない。

(2) ブトロス・ブトロス＝ガーリの『平和への課題』は何をめざしたのか

冷戦の終結で米ソ主導の国際秩序が機能しなくなった一方で、「歴

表 6-1　武力紛争の規模と紛争地の数（1989-2014）

規模 */ 年	低度	戦争	総計	2 者間	場所
1989	30	10	40	59	34
1990	35	14	49	65	37
1991	39	12	51	66	38
1992	37	11	48	59	32
1993	34	9	43	54	32
1994	39	9	48	58	34
1995	32	8	40	46	31
1996	31	10	41	50	31
1997	33	7	40	55	31
1998	28	12	40	52	33
1999	29	11	40	50	31
2000	27	11	38	51	29
2001	30	8	38	49	30
2002	27	6	33	45	25
2003	27	5	32	44	25
2004	26	7	33	45	25
2005	27	5	32	40	23
2006	28	5	33	47	25
2007	31	4	35	44	25
2008	33	5	38	48	29
2009	31	6	37	47	27
2010	26	5	31	40	25
2011	31	6	37	51	30
2012	26	6	32	40	26
2013	28	6	34	48	25
2014	29	11	40	53	27

* 規模の定義：低度（Minor）紛争は、年間戦死者が 25 名以上で 1000 名以内、戦争（War）は年間戦死者が 1000 名を超えた場合、両者の総計（All Conflicts）、2 者間（Dyads）紛争とは少なくとも片方が政府軍を含む 2 当事者間で生起したもので、場所（Location）は、紛争の発生場所・地域を指している。
*「2 者間」とは政府と非政府の 2 者間以上の紛争数を指す。

出典：Pettersson, Therese and Peter Wallensteen (2015), “Armed Conflicts, 1946-2014,” *Journal of Peace Research*, Vol.52, No.4.

史の終わり」は決してアメリカ主導の国際秩序を決定づけたわけでもなかった。むしろ当時 190 カ国の主権国家で構成される国連に国際秩序を主導する積極的な役割が求められた。国連安保理による国家元首と政府首脳の初会合終了後に、当時の国連事務総長ブトロス・ブトロス＝ガーリは、国連安保理の要請で、1992 年 1 月に「国連の予防外交、平和創造、および平和維持に関する能力を国連憲章の枠組みと規定の範囲で強化し、より有効にする方法についての分析と勧告」の報告書の作成を求められた。それが同年6月に提出された『平和への課題』(*An Agenda for Peace: Preventive diplomacy, Peacemaking and Peace-keeping*[19]) だった。

ブトロス＝ガーリ事務総長は、同報告書序文で「紛争や戦争の原因は幅広く、かつ根深い。それと取り組むためには、人権と基本的自由を向上させ、一層の繁栄をはかるための持続可能な経済・社会開発を促進し、困窮を緩和し、また大量破壊兵器の存在と使用を削減するための最大限の努力が必要である」(ブトロス＝ガーリ 1995：30) と冷戦後の国連の役割の重要性を訴えている。

同報告書は副題に表示されている予防外交 (Preventive diplomacy)、平和創造 (Peacemaking)、平和維持 (Peacekeeping) を中心に冷戦後の国際社会に対する国連の平和活動の役割を論じている。なお、同報告書提出時においては、その後の紛争の激化を予想していなかったため、平和構築が副題に取り上げられていなかったと思われる。ただ、4つ目の国連の平和活動として紛争後の平和構築 (Post-conflict peace-building) が記載されているが、むしろこれに関しては1995年発行の『平和への課題：補足』で詳しく論じられている。以下、国連の平和活動の各取り組みの定義と活動内容を簡潔に紹介しておく[20]。

予防外交

「予防外交」は、「当事者間の争いの発生や現に存在する争いの紛争への発展を防ぐとともに、紛争が発生した場合の拡大を防止するための行動である」と定義される。

予防外交とは紛争に至る以前に当事者間の緊張を緩和することである。あるいは、紛争が勃発した場合は、速やかに拡大を防止し、根本的な原因を解決することである。そこで、予防外交を促進するうえで、5項目の活動が期待されている。第1が「信頼醸成措置

(Measures to build confidence)」である。国家間には外交・軍事などを含むさまざまな国家機密が存在している。したがって、重要なのは互いの疑念が拡大していくような相互の関係を可能な限り除去していくことである。具体的には、軍事使節団の計画的な交流、地域や準地域の危険除去センターの形成、地域的な軍事協定の監視を含む情報の自由な流れに対する合意などが挙げられる。日頃の相互間の信頼と誠意こそが紛争予防への第一歩であることを述べている。

第2に「事実調査（Fact-finding）」である。予防手段の選択肢において、まずは事実関係が重視される。なぜならば、紛争に発展していく可能性を秘めた事態の多くには経済的・社会的原因が潜んでいる場合もあり、国連がいま必要とする情報は危険な緊張に導く政治的発展のみならず、経済的・社会的傾向を包含しているものでなければならないからだという。

第3は「早期警報（Early warning）」を指摘する。国連は、環境汚染、核事故、天災、人口の大量移動、飢餓、疾病の拡大など、平和に対するさまざまな脅威に早期警報網を開発してきた。これら情報源からの情報が政治的な指標と統合可能な仕組みの強化をするためにも、国連各種専門機関や関連部局との密接な協力関係の必要性を訴える。また、国際平和と安全の脅威となる経済的・社会的事態に対応するうえで国連安保理と経済社会理事会との連携を訴える。

第4に「予防展開（Preventive deployment）」の必要性である。国連の活動は従前では紛争発生後の対応だったが、当該政府あるいは当事者の要請や承認に基づき紛争発生前の予防展開の可能性が訴えられた。国連システムの持つさまざまな専門性や資源を活用して、場合によっては非政府機関の参加も想定して公平で人道的な取り組みをすることで苦痛の緩和、暴力行為の限定や制御に役立たせるのだという。

第5に、「非武装地帯（Demilitarized zones）」の設定である。従前は紛争終結に際して設置してきた平和活動の一環だったが、むしろ紛争交戦国として可能性のある当事者間の合意に基づくか、一方の当事者の要請によって国境の片側などに非武装地帯を設置して紛争予防への役割を果たすことが期待されているのだ。

平和創造

『平和への課題』によると、「平和創造」とは、「主として国連憲章第6章で想定されている平和的手段を通じて、敵対する当事者間に合意を取りつけること」だと定義される[21]。

具体的に、第6章で謳っている紛争当事者間の調停と交渉は、第1に「国際司法裁判所（International Court of Justice：ICJ）」に依拠する。これに関しては国連憲章第36条（調整の手続きと方法の勧告）や第37条（付託の義務と勧告）に基づくことになるが、さらに第96条（勧告的意見）で、総会または安保理は「いかなる法律問題についても勧告的意見を与えるように国際司法裁判所に要請することができる」と規定する。ブトロス＝ガーリは増大する紛争の平和的裁定に対するICJをはじめ裁判所への依存度を高めることで、国連の平和創造を訴えている。

第2に、「援助を通じての改善（Amelioration through assistance）」を指摘する。安保理、総会、事務総長などが国連の最大限の資源を利用し、紛争の平和的解決を可能にするメカニズムを構築することを検討すべきとする問題提起である。第3には、「制裁と特別の経済問題（Sanctions and special economic problem）」である。国連憲章第7章第41条（非軍事的措置）では安保理が「兵力の使用を伴わないいかなる措置を使用すべきかを決定すること」が可能な一方で、第50条（経済的困難についての協議）では「ある国に対して防止措置又は強制措置をとったときは、他の国でこの措置の履行から生ずる特別の経済問題に自国が当面したと認める」場合は、安保理と協議をする権利を持つ点が担保される。

第4は「軍事力の行使（Use of military force）」である。安保理は、国連の平和的手段が功を奏しない場合、「平和に対する脅威、平和の破壊または侵略行為」に対抗する措置として第7章に基づく軍事力の行使を決定することになる。具体的には第42条(軍事的措置)に依拠し、「国際の平和及び安全の維持又は回復に必要な空軍、海軍又は陸軍の行動をとることができる」。ブトロス=ガーリは第43条(特別協定)に基づき、「すべての国際連合加盟国は、安全保障理事会の要請に基づき且つ一又は二以上の特別協定に従って、国際の平和及び安全の維持に必要な兵力、援助及び便益を安全保障理事会に利用させることを約束する」と述べる。

ブトロス=ガーリが軍事力行使の延長線上で国連の平和創造を積極的に進めた構想が「平和執行部隊(Peace-enforcement units)」だった。第40条(暫定措置)では安保理は「事態の悪化を防ぐため…、必要又は望ましいと認める暫定措置に従うように関係当事者に要請することができる」とあり、ブトロス=ガーリはこの考えに基づき、侵略行為に対処する平和維持軍よりも重装備で広範囲な準備訓練を受けた部隊を事務総長の指揮下に置いたのである。しかしながら、平和執行部隊は第2次国連ソマリア活動(UNOSOM II)への派遣で失敗し、現在では同構想が頓挫している[22]。

平和維持

平和維持の定義をみると、「現地に国連の存在を確立することであり、これまでは全当事者の承認のもとに、通常は国連の軍事・警察要員が、また、しばしば文民も参加して行われている。平和維持は、紛争の防止と平和創造の双方の可能性を拡大する技術である」とされている。

すでに冷戦後世界における民族紛争や地域紛争の増大をみてきたが、国連の平和活動におけるフェーズ3としての平和維持活動の期待が高まる一方で、『平和への課題』では、平和維持活動を展開するうえでの活動費用の逼迫性が訴えられている。国内紛争のピークだった1992年の活動費用は総計で約83億ドルに達するも、実際に兵力を提供した諸国への支払い滞納額は8億ドルだったと述べている。それに対して世界の防衛支出額は年間1兆ドルになっている事実を踏まえて、国連の平和維持活動への理解と協力が訴えられた。

また、平和維持活動は従来の軍事要員が担当するような停戦合意後の停戦ライン監視や軍備管理などの伝統的な平和維持活動から、軍事、警察、文民要員を含む複合的な平和維持活動を求める新段階を迎えたと述べる。したがって、派遣要員も文民の政務担当者、人権監視員、選挙担当員、難民・人道的援助専門家、警察官などが、軍事要員とともに大きな役割を担うようになった点を強調する。また、容易に平和維持活動を展開するうえでの基本装備の備蓄の必要性と同時に、各国政府への必要に応じた提供を促している。

紛争後の平和構築

1992年6月提出の『平和への課題』の副題には、他の3つの国連平和活動の記載はあるが、「紛争後の平和構築」の記載がない。したがって、具体的な定義も記せられていない。ブトロス＝ガーリは冷戦後の国連の平和活動は紛争の予防（予防外交）が中心的課題だと考えていた。つまり、90－92年を頂点とする国内紛争の激化を予期していなかったことが推測される。

本報告書で記載されている内容から「紛争後の平和構築」の定義を抽出すると、紛争終結後、「当事者の武装解除、秩序の回復、兵器の管理および可能であればその破棄、難民の送還、治安維持要員用の諮問および訓練面での援助、選挙の監視、人権擁護努力の強化、政府機関の改革あるいは強化、公式および非公式の政治参加過程の促進など」が含まれるだろう。

そして特に「平和の条件の崩壊防止を目的とする予防外交と対をなすものと考える必要がある」と述べる。ただ同報告書では「紛争が発生すると、相互に補強し合う平和創造と平和維持の努力が開始される。これらの活動が目的を達したのち」とあり、また「予防外交の目的は危機の回避であり、紛争後の平和構築の目的はその再発防止にある」と結ぶ。このように、国連の諸平和活動は各活動のフェーズごとに目的が分かれていたといえよう。

また、地域的な取り組みおよび地域機関との協力が求められている。報告書では、冷戦後における地域的取り決めと地域機関の役割が強調されている。すなわち、国連憲章第8章（地域的取極）の目的の再確認を行うと同時に、国連の平和活動とともに、平和に対する多種多様な補足的努力を奨励している。具体的には、ソマリア問題に関するアフリカ統一機構（OAU、現アフリカ連合AU）、アラブ連盟、イスラム諸国会議機構（現イスラム協力機構）と国連との協力、カンボジア紛争における東南アジア諸国連合（ASEAN）および複数の国家と国連の協力、ニカラグア戦争終結における国連事務総長の役割と米州機構（OAS）との連携、バルカン半島および周辺地域の危機における欧州共同体（EC、現欧州連合EU）と全欧安保協力会議（CSCE、現欧州安全保障協力機構OSCE）加盟国の努力などが挙げられている。

これら地域機構と国連との間に公式の任務の分担方法を設けるのではなく、これら地域の取り組みや地域機関が、国連の平和活動との連携協力で果たす役割の潜在能力について述べられている。

『平和への課題：補足[23]』

1992年6月に提出された『平和への課題』から国連の平和活動が大幅に増大したことを踏まえ、同様に活動の性質の変化も余儀なくされた。紛争の性質もすでに確認したように、対称的紛争の国家間戦争から非対称的紛争としての国内紛争へと変化していく。つまり、紛争の主体が従来の正規軍ばかりではなく、統制の取れていない不明確な指揮系統の下に武装した民兵も加わったのだ。このなかには当然「子ども兵士」も含まれていた。

国内紛争が激化することよって、政治や司法が崩壊し、政府機能が麻痺して、いわゆる破綻国家が出現する。『補足』版では、特に4つの「量的・質的変化」を指摘する。

第1に、すでに述べたが紛争の形態が国家間から国内にシフトした点である。その結果、国連難民高等弁務官事務所（UNHCR）に登録された難民数が、1987年末の1300万人から94年末には2600万人までに急増し、かつ国内避難民（IDP）の数も大幅に増加したことが述べられている。

第2に、人道的援助活動を保護するために国連軍の利用を指摘する。紛争の国内化によって人道援助機関の任務遂行が困難になったことが背景にある。しかしその一方で、交戦状態下の国連の平和活動そのものの立場が問われることになった。

第3に、国連の平和維持活動が軍事要員のみならず、警察や文民要員を巻き込むようなさまざまな機能が求められるようになった。

最後に第4として、多機能型平和維持活動を前提とする社会経済的・文化的および人道的問題解決を視野に入れた確固たる平和の基盤づくりを期待されるようになった。

さて、『補足』版では「平和と安全保障のための手段」として、「予防外交と平和創造」が一緒に論じられ、平和維持と紛争後の平和構築は別々に論じられている。1995年1月に事務総長が提出したポジションペーパーであるが、当時の国際社会の状況が反映されている。特に、予防外交を支える「紛争後の平和構築」として、改めて「非武装化、小火器の管理、制度改革、警察・司法制度の改善、人権の監視、選挙改革」を挙げ、「社会的・経済的発展は、紛争が起こったのちの傷を癒す場合と同様に紛争予防においても有用である」と強調する。つまり、「紛争後の平和構築」の諸活動は予防外交につながると同時に、実は紛争予防に資するものだと強調する。

その他『補足版』では、特に国連が扱っている紛争での犠牲者の多くが主に自動攻撃兵器や対人地雷などの軽火器によることに鑑みて、「ミクロ軍縮」の必要性を訴えている。軽火器は武器取引額全体の約3分の1を占め、発展途上国が先進国から購入している現実を指摘する。また、国連憲章第41条に基づき、安保理は、国際平和と安全を脅かす当事者の行動を是正させる制裁を科す措置を求めている。ただ制裁への配慮として、人道的援助機関の活動を常に円滑にすることと、第50条（経済的困難についての協議）に鑑みて制裁の適用にともなう費用は全加盟国が平等に負担することを確認している。

『開発への課題』[24]

平和を持続するうえで経済的・社会的開発の重要性が認識されるようになった。1992年12月22日付の国連総会決議（47/181）は、事務総長に加盟国間との協議を通じて開発への課題に関する報告を求めた。そこでブトロス＝ガーリが93年12月21日付国連総会決議（48/166）の第5項に基づき、また94年の経済社会理事会の実質討議における論議や総会議長によって進められた討議で表明された見解を踏まえて、第49回国連総会の会期中に事務総長報告として『開発への課題』を提出した。

同報告書の冒頭では「なぜ『開発への課題』か」と問い、「開発は、基本的人権のひとつである。開発は、最も確固とした平和の基盤である」と訴える。加盟国間の多くの協議では、平和と開発を「国際協力における主要な双子の主題」と位置づけている。また、「経済的、社会的、環境的領域におけるグローバルな平和と安全保障に対処することにより」、「平和への課題」を補完することになると指摘する。

平和構築との関連では、「伏在する経済的、社会的、文化的ならびに人道的問題に対する、持続的かつ協調的活動だけが、確固とした基盤に立つ平和を達成しうる」と述べている。つまり、「紛争の後の再建と開発がなければ、平和が保たれる期待もまた、ないも同然である」と、開発と平和構築、さらには開発が紛争予防に寄与する点を強調する。

また、「発展への機関車としての経済」として、「経済成長は開発全体にとって機関車」であり、経済成長こそが貧しい社会にさまざまな能力を強化するための多くの機会を供与し、結果的に「平和、環境、社会および民主主義といった開発の他の側面も、経済成長に積極的な効果を与える[25]」と指摘する。さらに、開発が促す社会的統合が、社会的不満、分離主義、偏狭な民族主義や紛争を回避させると述べる。

「グッド・ガバナンスとしての民主主義」は平和構築における主要な課題となっている。本報告では「民主主義と開発とは根源的な意味で繋がっている」とし、「民主主義が、開発の全側面に影響するガバナンスの問題に、本質的にかかわっている点でも両者は繋がっている」と述べている。また、「民主主義は即座にグッド・ガバナンスを生みだすことはできないし、また民主的政府が、たちまち成長率や社会的条件あるいは平等などの実質的な改善に導けるものではない」と述べる一方で、情報・知識・通信・知的交流などの経済や社会の成功にとって、民主主義は具体的な進歩の達成に不可欠だと訴える。国連の平和活動がリベラル・デモクラシーの考え方に基づいていることがわかる。

2. 国連平和活動の新たなアプローチ

(1) 国連 PKO の取り組み

国連の平和活動は国連安全保障理事会（安保理）で決定される。そのなかでも、国連 PKO（平和維持活動）が重要な役割を果たしている。紛争が増大することで PKO 派遣の要望が増大する。

国連のウェブサイト（United Nations Peacekeeping: Peacekeeping Operations Fact Sheet, 31 January 2019）をみると、派遣がはじまった 1948 年から 2019 年 1 月 31 日現在で、PKO ミッションは 71 回

派遣され、現時点で14件のPKOが展開されているという。なお、現在派遣されている国連PKOの制服組の派遣内訳では、警察要員は1万322名、軍事要員が7万4656名、文民要員が1974名となっている。

制服組以外の国際民間職員数が4539名、現地職員数8393名（いずれも2018年5月31日現在）、国連ボランティア数1354名で制服組を合わせると10万2491人の国連PKOが124カ国から参加している。なお、1948年から現在までにPKO業務関連で亡くなった隊員・職員数は3802名にも上っている。

国連PKO派遣14地域のうち半数の7件がアフリカで展開している。制服組を含めた全ての隊員・職員数の約85％がアフリカの平和活動に従事していることになる。また、14地域全体のPKO活動資金66億9000万ドルの約72％の48億4200万ドルがアフリカの7派遣で費やされている。特に2010年から2万人を超える派遣数と多額の活動費を要する国連コンゴ安定化ミッション（MONUSCO）をはじめ、11年から展開する国連南スーダン共和国ミッション（UNMISS）、13年から展開する国連マリ多面的統合安定化ミッションが挙げられよう。

ちなみに、日本は1992年に成立した国際平和協力法に基づき、直近では前述の国連南スーダン共和国ミッション（UNMISS）に2011年11月より司令部要員を派遣し、12年1月から道路などのインフラ整備などの国際協力を前提に、施設部隊等を派遣して17年5月に活動を終了するまでに累計で3912人を派遣している。21年1月現在は4人の司令部要員を派遣し、継続中である[26]。

表6-2をみて、PKO予算分担率が圧倒的に高いアメリカが国連ミッションへの要員派遣数では80位になっていることがわかる。これはいうまでもなく、国連PKOによる派遣よりも承認なしの有志連合のような多国籍軍としての派遣が多いからだろう。例えば、2003年のイラク戦争のような安保理の承認を得ない有志連合に基

づく多国籍軍の派遣である。アメリカの世界戦略は弱体化しているものの依然「世界の保安官」の地位を維持し、国連のPKO派遣以前の状況下でアメリカ軍を派遣している。その一方で、国連PKO派遣要員数の上位5カ国はすべて1%未満の予算分担率である。自らも紛争経験国[27]であることの動機づけもあるし、またPKO要員の

表6-2　国連ミッションへの軍事要員・警察要員・司令部要員の派遣状況

順位	国名	派遣人数	2020年度PKO予算分担率（%）
1	エチオピア	6,639	0.001
2	バングラデシュ	6,413	0.001
3	ルワンダ	6,292	0.0003
4	ネパール	5,658	0.0007
5	インド	5,404	0.1668
10	中国	2,544	15.2195
19	イタリア	1,084	3.307
30	フランス	732	5.6124
34	イギリス	573	5.7899
35	韓国	570	2.267
37	ドイツ	532	6.09
46	スウェーデン	295	0.906
69	ロシア	78	3.049
73	ノルウェー	66	0.754
74	カナダ	45	2.734
78	オーストラリア	35	0.677
80	スイス	30	1.151
80	アメリカ	30	27.8908
86	オランダ	27	1.356
106	日本	4	8.564

* 派遣要員の上位5カ国とG8諸国及び近隣アジア諸国、なお軍事・警察・司令部要員の派遣人数は2020年1月31日現在の数値である。
** 国連によって経費が払われていない要員数は国連統計上に記載されていない。
出典：外務省ウェブサイト（国連平和維持活動）、UNドキュメント（A/67/224/Add.1）などから作成。

派遣で財政的なフィードバックもある程度期待されている。

『平和への課題』で指摘されているが、平和維持活動費用は1992年までに総計で約83億ドルに達していたが、滞納額も8億ドル以上もあり、兵力提供国に対して国連の債務になっている。それに対して納入額が緩慢である一方で、世界の防衛支出額は80年代末で年間1兆円、1分当たり200万ドルに近づいているという。国連憲章には国連PKOに関する明文の記載はないものの、試行錯誤を積み重ねて国際平和に貢献してきている。

1948年のPKO展開以来3802名の犠牲者が出ている（本項冒頭の国連ウェブサイト）。国連PKOを支えているのは、国連加盟国からの任意の隊員と義務としてのPKO予算分担金である。もちろん、国際社会はまずは紛争の解決に向けた取り組みや支援を行うことが求められる。しかしながら、紛争でもっとも犠牲を強いられる無辜の人々をいかに救済するのかが重要になる。そのためには、国際社会は連帯して国連の平和活動を支援する必要があるだろう。換言すれば、平和な国際社会の構築はなによりも多国間に基づく国際協調主義が基本であるのだ。

最後に、元国連PKO責任者ジャン＝マリー・ゲーノの『避けられたかもしれない戦争——21世紀の紛争と平和』（原書名は、*The Fog of Peace: A Memoir of International Peacekeeping in the 21st Century*）を紹介したい。本書では、アフガニスタン、イラク、グルジア、コートジボアール、コンゴ民主共和国、スーダン、ダルフール、レバノン、コソボ、ハイチ、シリアの各紛争地における著者からみた国連PKOの役割が述べられている。そして最後の章では「国際連合はどうあるべきか」が語られている。

著者は国連PKOが国際社会に果たす責任として「予算の80パーセント超を負担する豊かな国は、自分たちの分担金が有効に使われることを望んでいる。部隊の大半を提供する発展途上国は、自国の兵士が適切な指導のもと、十分な支援を受けることを望んでいる。

安保理理事国は平和維持活動のミッションが成功することを望んでいる」と、PKOを支えるトライアングルの関係を適切に表現している。また、「加盟国は国連を自分たちの機関だと、国家としての野心より大きな野心を達成するための機関だとみなす心構えができているのか？ それとも、隠れみのにできる都合のいい機関とみなしていないのか？」と問いかける（ゲーノ 2018：570, 574）。

ゲーノは、コフィ・アナンが開発、平和と安全保障、人権を3本柱として国連の改革を推進し、具体的に平和構築委員会と平和構築基金の創設を提唱したことを高く評価している。この委員会と基金は紛争後の復興に重点をおき、開発と平和・安全保障を橋渡しする役割を担っている。つまり、ルワンダをはじめとする大量殺戮を防ぐうえでも、また国家権力をゼロから築くことも含め、国際社会に国連PKOの活動と果たす役割を担保する推進力になったと考えている（ゲーノ 2018：第13章）。

(2)「保護する責任」概念誕生の背景

第1章でみてきたように、国連憲章第1章第1条第2項には「自決の原則の尊重」があり、第2条第7項には「いずれかの国の国内管轄権内にある事項に干渉する権限を国際連合に与えるものではない」と規定されている（薬師寺ほか 2020）。このように、国際社会は他国の国内問題に対する内政干渉はできないという「内政不干渉原則」が国際規範となっている。それは国連が主権国家の集合体であって、決して主権国家の上位に位置する存在ではない点で、当然国連自体も内政不干渉原則に縛られるという意味だった。

「保護する責任」概念が誕生する契機になったのは、1999年のコソボ紛争における北大西洋条約機構（NATO）軍の空爆だった。ユーゴスラビア連邦セルビア共和国コソボ自治州住民の90％を占めていたアルバニア人の自治権拡大、その後の独立をめぐってセルビア治安部隊による掃討作戦が展開され、多くのコソボ住民に対する人権侵害が行われた。その結果、NATO軍が人道的介入として国連安保理決議を経ないで空爆を行ったのだ。国連憲章第2条第4項で「武力による威嚇又は武力の行使」は慎むべきであると規定されているが、安保理決議に基づく自衛権の行使は認められる。しかし、人道的介入を大義名分とする大規模な攻撃には賛否が分かれていた。

コフィ・アナンは回顧録で、「コソボと東ティモールという2つの分離危機」に世界が直面したことで、「介入についての枠組みを再構築する決意」と「国家が領域内でとることが許される行動についての限界を設定」するために「国連の中心的な地位を回復」すると述べ、「われわれの介入への取り組みが成功しているかは、戦争や制裁の結果ではなく、人命救助に利することがあったかによって判断されるべきである」と述べている。そして、「国連が、人道への集団的良心の擁護者となりえないのであれば、誰が平和と正義を保証するのだろう」と国連の役割を強く訴えている(アナン2016上巻:135-136)。

アナンの1999年9月20日の国連事務総長演説では「2つの主権(Two Concepts of Sovereignty)」という表題が付されていた。要するにそれは、国家主権と「個人の主権」である人権を指している。国家主権がグローバル化と国際協力の影響で相対化され、「国連憲章に記された人権およびあらゆる個人の基本的自由は、個々人が自らの運命を支配するという権利意識を取り戻すことによって強化されてきた」とアナンは述べる(中内ほか2017:14)。アナンは国際社会が直面する基本的人権の侵害に強い危機感を抱き、国際社会が有する「2つの人権」では国家主権よりも人権を重視するべきだと明確に述べたのだ。

国際社会で人権が強く重視されていく背景には、1994年4月のルワンダで起きた100万人規模のジェノサイドや95年7月にボスニア・ヘルツェゴビナ紛争で起きた7000人に及ぶといわれるスレブレニッアでのジェノサイドがあったことはいうまでもない。国際社会における国家主権と人権の相克から人権重視へと流れを変えたのが、2001年カナダ政府主導で設立された「介入と国家主権に関する国際委員会（ICISS）」であり、その報告書『保護する責任』（*Responsibility to Protect: R2P*）だった。R2Pの中核原理は、国家主権には、自国民を保護する主要な責任がある、というものだ。しかし、もし内戦、騒乱、抑圧あるいは国家の破綻の結果、人々が重大な危害を被ったにもかかわらず、当該国家がその危害の停止や回避に対して意思と能力を欠いている場合は、内政不干渉原則よりも国際的に保護する責任が優先されると述べている（中内ほか2017：18-19）。

また、R2Pは「予防する責任」「対応する責任」「再建する責任」の3つの責任から構成されている。「予防する責任」には前述したブトロス＝ガーリの『平和への課題』や『開発への課題』で扱った内容が盛り込まれ、人々を危険に陥れる国内紛争やその他の人為的な危機に対して根源的および直接的な原因に対処することであり、ブトロス＝ガーリの2つの報告書で扱うような開発、人権、法の支配への支援も含まれている。次に、「対応する責任」であるが、人々の切迫した窮状に対し、適切な措置として制裁や訴追などの強制措置、また非常時の場合は軍事介入も含まれ、あらゆる手段を使っても果たすべき責任と考えられた。

最後に、「再建する責任」であるが、紛争後において停止または回避した諸原因への対処に向けた和解と復興を含めた平和構築事業への取り組みである。具体的には任意拠出金や政府開発援助（ODA）資金に依拠する枠組みから脱却できるかが課題となった。長谷川祐弘は国連平和活動ミッションに従事した経験から、R2Pが平和維持活動に及ぼした影響の大きさを指摘する。特に、紛争下の民間人の保護をPKOミッションの安保理の委任事項となったことで、強力なPKOが可能になったのはICISS報告書に基づく「保護する責任」があったからだと指摘する（長谷川 2018：71-73；中内ほか 2017：18-19）。

とはいえ、国際社会が R2P の 3 つの責任のなかで特に関心を持ったのが「対応する責任」だった。安保理決議に基づく限られた軍事介入だったものの、人道的介入同様に最終的には武力行使と不可避的に結びついていることに懸念を抱いたからである。長谷川が指摘するように、R2P が国際規範となるための正否の判断基準、あるいは R2P に基づいて行使する場合の手段の基準や範囲などの課題点が残されており、これらを明確化していくことが求められるようになった（長谷川 2018：71-73）。

R2P は 2005 年 9 月に 170 カ国以上の首脳が集まる史上最大規模の国連総会で、世界サミットの成果文書として提出された。これは紛争で犠牲になっている無辜の人々を救済するうえで大きな一歩となった。ただ R2P の理念を国際社会全体で進めていく難しさは、ルワンダやスレブレニッアのジェノサイドを経験し、「あの悲劇を二度と繰り返してはならない」と誓ったにもかかわらず、03 年のスーダンのダルフールでは最大 50 万人が死亡し、数百万人が避難を余儀なくされていることからも理解できよう。結局安保理はリーダーシップを発揮して危機に対応することができなかった。世界最大規模の人道的大惨事にまたもや国際社会は機を逸したのだ。アナンは改めて R2P が「世界の人びとの命と権利を担保するための非常に広範囲の活動、介入の異なる段階を含むものである」と訴えている（アナン 2016 上巻：141-158）。

平和維持と平和構築の不可分性を指摘した『ブラヒミ報告』

コフィ・アナン国連事務総長は、2000 年 3 月 7 日に国連の平和・安全保障活動の徹底的な見直しを実施するためにハイレベル・パネルを招集した。パネル議長は前アルジェリア外相のラフダール・ブラヒミが務めたことから、同パネル報告書は『ブラヒミ報告』[28]と呼ばれた。同報告書は00年8月17日付パネル議長書簡として、コフィ・アナン国連事務総長に提出された。また、同年9月のミレニアムサミット参加首脳に対しても報告書の提示が予期されていた。

『ブラヒミ報告』は全6章から構成されているが、本項の文脈上重要だと思われる箇所を指摘するにとどめたい。まず報告には加盟国の決意を新たに、国連機構の変革や財政支援の強化が謳われ、それらを前提にした平和維持と平和構築の任務の遂行が提言された。特に、増大する複合型の平和維持の派遣を成功させるうえで、武力だけでは平和を構築することはできず、まずは平和構築を可能にする空間を生起させる必要性が指摘された。

この点を踏まえ、複合型の活動では「平和維持要員が現地の平穏の維持に努める傍らで、平和構築要員が平穏な環境の定着を図ることになる」。換言すれば、平穏な環境を実現することで平和維持部隊は撤退が可能になると述べ、「平和維持要員と平和構築要員は切っても切れない関係にある」と指摘した。『平和への課題』が国連の平和活動を段階ごとに追っていたのと異なり、『ブラヒミ報告』は平和活動の連続性、特に平和維持活動と平和構築活動の連携を重視したものとなっている。

また、同パネルでは国連が平和構築戦略を策定し、戦略の遂行のためのプログラムを実施可能にする恒常的な能力を強化させるために、平和安全執行委員会（ECPS）から国連事務総長に対する勧告を促している。さらに、複合型活動において暴力的敵対者から国連部隊を守るための必要な現地諜報能力の確保を求める一方で、多国籍部隊と、加盟国が連携して必要な支援部隊を含む国際連合待機制度（UNSAS）を発展させた強固な平和維持部隊の充足を勧告している。そして潜在的な兵力の提供国の平和維持活動に国連が求める訓練や機材要件が備わっているのかを事務局が調査するためのチームの派遣も勧告している。

要するに、同パネルはUNSAS内の平和維持活動局（DPKO）が吟味したうえで有能な武官100人程度が常時更新される「待機者リスト」を設けることを提案すると同時に、法治機構の強化を目的とする十分な文民警察、国際的な司法の専門家、刑事法の専門家および人権専門家の待機者リストの確保も求めている。また、加盟国国内にも国連平和活動に展開可能な警察官や関係専門家の「国内待機制度」の創設を呼びかけている。

また、同パネルでは国連システム全体からの出向職員で統一ミッション・タスクフォース（IMTF）の結成を促している。現在事務局には政治分析、軍事作戦、文民警察、選挙支援、財務や要員確保など総合的に対応可能な計画部署も支援部署もないことから、本部から現地支援への強化が考えられた。そこでDPKO部門の再編を求めている。

最後に、職員の資質の格差是正を指摘する。国連が能力主義への取り組みに真摯に向き合わなければ、有能な特に若手の職員が離れていく危険性を訴えている。優秀な人材を受け入れるためには、無能者の排除を前提としない限り、追加的資源の投入が無駄になるなど、永続的な改革の必要性が改めて訴えられた。

このように、当初の国連の平和活動は、冷戦という当時のアメリカとソ連が主導した核軍拡を前提にした対立が背景にあった。それは同時に、両陣営が各主権国家の実態を吟味することなく、つまり政治体制の中身を問わないがために、冷戦終結とともにさまざまな矛盾が噴出することを招いたのだ。その結果、国際社会は内戦、さらには地域紛争に直面することになった。このような国際社会の混乱を収拾していく役割を担ったのが国連平和活動だった。

第7章　グッド・ガバナンスは紛争予防を促すのか

紛争にはさまざまな要因がある。また、紛争は決して発展途上国だけの問題ではない。すでに国民国家として長年の歴史を有しているような欧州諸国でもエスニック・リバイバル現象が起きている。例えば、ベルギーの言語問題やイギリスにおけるアイルランドの宗教問題など、言語・文化などエスニシティを理由とした武力紛争が起きた。スペイン北部のバスク地方でも分離独立をめざした爆弾闘争があった。近年でも連合王国を構成するスコットランドでは2014年9月に分離独立のための住民投票が実施され、イギリスのEU離脱を契機に再実施を求める声も上がっている。17年にはスペインのカタルーニャでも独立の是非を問う住民投票が行われている。

しかしその一方で、発展途上国ではエスニシティのみならず貧困、あるいは貧富の格差が紛争原因になっている場合も多い。そこで少なくともいえることは、紛争要因は多岐にわたるが、紛争（再発）予防のためには貧困問題の解決が重要であり、国際社会は途上国の「開発」に関心を持つべきだということだ。すでに述べてきたように、発展権は第三世代の人権として重要な国際社会の課題となっている。また、前章で扱ったように紛争と開発は双子の関係であり、それゆえに『開発への課題』が報告されたのである。本章では紛争（再発）予防に求められる「開発」の役割を論じてみる。

また、開発を阻害する要因の一つとして、武器ビジネスを背景とする軍拡が考えられる。世界銀行エコノミストのポール・コーリア（Paul Collir）らの報告書『戦乱下の開発政策』（世界銀行政策研究レポート）にあるように、内戦によって開発は後退する一方で、開発の失敗は内戦を引き起こしているという。要するに、経済成長を進めることが内戦を終わらせ、平和な社会への道筋をつくることになるという報告である。この点を最後に考えてみたい。

なお、本章の議論は換言すればガバナンスの問題となる。民主主義諸国が推進するうえで「グッド・ガバナンス」は紛争予防の核心的概念といえよう。しかし他方で、グッド・ガバナンスが欧米諸国を淵源とすることで、異なる政治体制諸国からはむしろ内政干渉を促す概念として批判も多い。この点も本章では考えてみたい。

1. グッド・ガバナンスと人間開発

国連事務総長コフィ・アナンは「グッドガバナンス（良い統治）は、貧困を撲滅し、開発を促進するうえで、おそらく最も重要な要素であろう」と述べている。それでは、「グッド・ガバナンス」とは何かである。2002年版の『人間開発報告書』は「ガバナンスと人間開発」の特集を組んでおり、人間開発の視点からみた民主的なガバナンスを以下のように定義している（世界銀行 2003：58）。

- 人権と基本的な自由が尊重され、尊厳を持って生きることができる。
- 自分たちの生活に影響を及ぼす決定に対して、発言権がある。
- 意思決定者に説明責任を求めることができる。
- 包括的で公平な規則、制度および慣行に基づいた、社会的相互作用がある。
- 女性は、生活と意思決定の私的および公的な領域における男性との平等なパートナーである。
- 人種、民族、階級、ジェンダーその他のいかなる属性にもとづく差別からも自由である。

- 次世代のニーズが、現在の政策に反映されている。
- 経済・社会政策は、人々のニーズと願望に迅速に対応する。
- 経済・社会政策は、貧困を根絶し、すべての人々の生活における選択肢を広げることをめざす。

「人間開発」は1990年代の開発のパラダイムシフトで「社会開発」とともに注目されるようになった開発理論である。60年代の「国連開発の10年」以来、北の先進国と南の発展途上国の経済格差（南北問題）の是正は焦眉の課題になっていた。そこで、先進国側は途上国に対して経済成長重視の開発のあり方を求めてきた。しかし、先進国が進める経済開発では必ずしも発展途上国の貧困はなくならず、むしろ拡大現象がみられるようになった。このような状況下で、開発のパラダイムシフトが求められるようになった。

1990年代に入り、UNDPは『人間開発報告書』を発刊し、人間開発を開発の中心に据えるようになった。つまり、人間の豊かさをGNP（国民総生産）／GDP（国内総生産）のような経済の規模ではなく、教育水準、保健医療水準、所得水準という人間が基本的な社会生活を営むうえで必要な指標を組み入れることで国の豊かさを測ろうとしたのである。

人間開発を促進する戦略には、1990年の最初の同報告書で書かれているように、第1に、教育および保健医療への投資と、公正な経済成長を促進することである。第2に、第1の促進から生産能力を強化し、それによって個人の活動を活発にさせることである。これら2つの戦略は開発の2本柱となっている。しかし、21世紀の人間開発戦略には、民主的ガバナンスへの個人の参加だけではなく、集団的活動を重視した参加が強調されるようになった。

具体的には環境保護、ジェンダー平等の促進、人権擁護の推進などの社会的・政治的運動が人間開発の中心的な課題を推進させる原動力だと認識されたのである。また政治的自由は、人々に経済的・

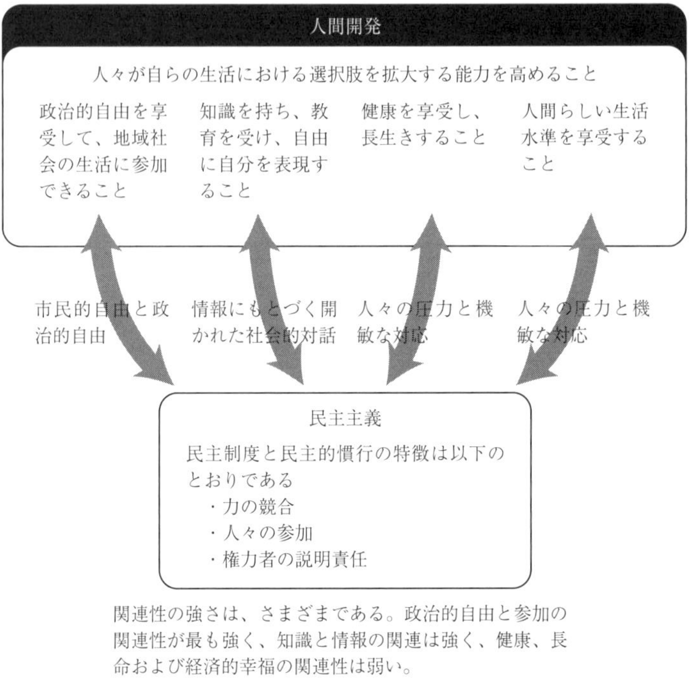

人間開発

人々が自らの生活における選択肢を拡大する能力を高めること

政治的自由を享受して、地域社会の生活に参加できること

知識を持ち、教育を受け、自由に自分を表現すること

健康を享受し、長生きすること

人間らしい生活水準を享受すること

市民的自由と政治的自由

情報にもとづく開かれた社会的対話

人々の圧力と機敏な対応

人々の圧力と機敏な対応

民主主義

民主制度と民主的慣行の特徴は以下のとおりである

- 力の競合
- 人々の参加
- 権力者の説明責任

関連性の強さは、さまざまである。政治的自由と参加の関連性が最も強く、知識と情報の関連は強く、健康、長命および経済的幸福の関連性は弱い。

図 7-1　民主主義と人間開発の関連性

出典：国連開発計画（UNDP）（2002）『人間開発報告書 2002 ガバナンスと人間開発』横田洋三・秋月弘子監修、国際協力出版会、68 頁

社会的権利を主張する力を与えることになり、さらに教育は解決すべき優先課題に対応した経済・社会政策を要求する能力を高めることになった（世界銀行 2003：61）。

このように UNDP が推進する人間開発を促すうえでグッド・ガバナンスは親和性が高く、重要な概念だといえる。また、第 4 章第 1 節で詳しく論じた「人間の安全保障」とも連携した考え方である。「欠乏からの自由」と「恐怖からの自由」を担保するうえで、グッド・ガバナンスを擁する政治体制が有効である点は否定しがたい。ただ

その一方で、権威主義体制ではこれら2つの自由を担保できないのだろうか。それを考えるうえで論じたのが「非伝統的安全保障」の考え方だった。要するに、完全な自由権を担保しないからといって「バッド・ガバナンス」国家とはいえないのではないかという考え方である。

まず改めて、開発に関わる国際機関が導入するグッド・ガバナンス概念を確認してみたい。稲田十一によると、世界銀行がサハラ以南の開発問題に言及してガバナンスという言葉を1989年に使用し、92年の報告書で行政や公的部門管理に言及するなかで、説明責任、透明性、予測可能な法的枠組み、公的部門の効率性、情報公開などを含んだものであると整理したという。世銀は改訂作業の結果、①説明責任、②政治的安定と暴力の不在、③政府の効率、④規制の質、⑤法の支配、⑥腐敗の防止の6つのカテゴリーに基づくガバナンス指標を作成したという。

また、他の開発機関におけるガバナンスの範疇をみてみると、経済協力開発機構（OECD）の開発援助委員会（DAC）では1995年の報告書で世銀よりも広く、市民社会の政策決定への関与、人権擁護、汚職・腐敗の防止、民主的な諸制度、法の支配、過度な軍事支出の削減などを含めて、ガバナンスを評価することで「グッド・ガバナンス」に言及している。そして、前述のUNDPのガバナンス概念は世銀とDACの中間的な範疇であると述べる（稲田 2006：9-12）。

しかしながら他方で、稲田は世銀・国際通貨基金（IMF）が導入するガバナンス指標に対する批判の3類型を紹介している。第1の批判は、西欧主導の国際開発機関のガバナンス指標が欧米的な価値観の画一的な押し付けであり、多様な歴史・社会・文化を擁する途上国の価値観と相容れないものだという批判である。これはすでに途上国融資に対する世銀・IMFにおけるコンディショナリティに基づく構造調整政策（SAP）への批判が背景にある。

第2は、世銀・IMFの融資にともなうコンディショナリティそのものが国際社会の規範である内政不干渉原則に抵触するというものである。従来経済援助の供与には世銀・IMFも政経分離を前提にした内政不干渉政策を採っていたはずだったという批判である。

第3には、世銀・IMFはアメリカ主導であり、同国の利害・国益が背景にあるという批判である。いわゆる「ワシントン・コンセンサス」批判である。結局はアメリカが進める世界戦略にかなう「民主主義の輸出」だという指摘である（稲田2006：18-19）。

こうした批判を前提にシンガポールのガバナンス指標をみてみたい。シンガポールは表1-2や表1-3で分類されてきたように、選挙は実施される一方で、常に与党人民行動党（PAP）が多数派を獲得する非リベラルな民主主義体制を敷く。フリーダム・ハウスの分類では「部分的自由（Partly Free）」の自由度に属する。フリーダム・ハウスが示す「部分的自由」の指標は政治的自由度と市民的自由度の評価に基づく分類である。

しかしその一方で、トランスペアレンシー・インターナショナルの180カ国を対象とした2019年度の公的部門での汚職認知指数（CPI）データをみると、汚職がないもっとも公正な政府（Very Cleanで100スコア）として上位6カ国が掲載されている。最高が87スコアのデンマークとニュージーランド、次いでフィランドが86スコア、4位にシンガポール、5位にスウェーデン、6位にスイスが85スコアで並んでいる。

シンガポールのガバナンスをみると、6つのカテゴリーに基づく世銀のガナバンス指標をほとんどが満たしているといえるだろう。ただその一方で、OECD-DACが指摘する「グッド・ガバナンス」ではどうかといえば、選挙は実施されるものの、形式的な側面が強いことに鑑みると、欧米のようなリベラル・デモクラシーとはいえない。シンガポールは2019年度の1人当たりのGDPが6万5000USドル（世界銀行）であり、政治的には権威主義体制であるが、経済的には大きな発展を遂げている。

表 7-1　ガバナンスの主観的指標

指標		測定概念
民主主義	Polity スコア(1)	●最高行政官の採用における競争度　●最高行政官の採用の開放度　●最高行政官に対する制約　●参加の規制　●行政官の採用の規制　●参加の競争性
	市民的自由(2)	●表現と信念の自由　●結社の自由と団結権　●法の支配と人権　●個人の自主性と経済的権利
	政治的権利(2)	●実権のある公職者を選ぶ自由で公正な選挙　●政治組織の自由　●有効な反対勢力　●有力グループによる支配からの自由　●少数派グループの自立または政治参加
	報道の自由(2)	●メディアの客観性　●表現の自由
	発言と説明責任(3)	●自由で公正な選挙　●報道の自由　●市民的自由　●政治的自由　●政治における軍隊　●政権交代　●透明性　●法律および政策の展開が実業界に常に知らされていること　●実業界が法律または政策の変更について懸念を表明できる
法の支配	政治的安定性と暴力の不在(3)	●不安定要因の認識（民族間の緊張　武力紛争　社会不安　テロリストの脅威　内紛　政治領域の分裂　憲法改正　軍事政変）
	法と秩序(4)	●法の公平性　●国民による法律の遵守度
	法の支配(3)	●闇市場　●民間または公的な契約の強制執行能力　●銀行業務における汚職　●取引への障害となる犯罪と窃盗　●犯罪による損失と費用　●司法の予測不能性
	政府の効率性(3)	●官僚の質　●業務処理費用　●公的保険医療の質　●政府の安定性
法の支配	汚職認知指数(5)	●実業界の人々　学者　リスク分析者が認知する官界の汚職
	不正利得（汚職）(3)	●公務員の汚職　●取引の障害になる汚職　公務員および裁判官に対する「不法な支払い」の頻度　●公務員の汚職の認知度　事業の利益誘導を目的にした支払い

* 各指標は、(1) はメリーランド大学国際開発・紛争管理センターで開発された Polity IV データセット、(2) はフリーダム・ハウス、(3) は世界銀行チーム、(4) は国際カントリーリスク・ガイド、(5) はトランスペアレンシー・インターナショナルの指標を利用している。

出典：国連開発計画（UNDP）(2002)『人間開発報告書 2002 ガバナンスと人間開発』国際協力出版会、45 頁

岩崎育夫はシンガポールが、国家主導型の開発体制を敷く「非民主的政治体制」にもかかわらず、経済成長を可能とした一因は「政治支配と開発行政の分担が取られたこと、開発が専門能力を有する欧米留学組テクノクラートに委ねられたこと」だと述べている。これらはスハルト体制下のインドネシアなど開発体制を敷く他の東南アジア諸国にもみられた特徴だと指摘する。有能なテクノクラートが開発過程への国民参加や説明責任を軽視することで、強力な政府が構築される一方で、行政のチェック機能を担当するべき立法や司法の脆弱性を引き起こしているのだという。要するにこれが開発主義国家シンガポールの「グッド・ガバナンス」の限界を引き起こしているのだと指摘する（岩崎 2006：177-186）。

2. 「紛争と開発」の関係性

前節でみてきたように、政治的には権威主義体制を敷くも、他方で経済成長を第一に考える東南アジアの開発主義体制がめざしたものは国民生活の向上であり、最終的には貧困の解消だった。その前提は不平等の拡大が人々の不満を高め、結果的には反政府運動や社会不安を引き起こすことになるからである。したがって、経済開発を推進していくことは社会の安定につながり、人々の安全を担保することになる。経済発展は紛争（再発）予防にとって十分条件とはいえないまでも確かに必要条件ではある。

例えば、多エスニック国家マレーシアでは、1969 年の「5･13 事件」以来大規模なエスニック集団間の衝突がない。かつて『人間開発報告書』（1994 年版）では社会統合に成功した事例としてマレーシアが取り上げられた。エスニック集団間の共存と対立を抱える不安定なマレーシアの社会統合は、80 年から 91 年の 1 人当たりの経済成長率の着実な増加によって安定化へと進んでいくことになった。人間開発指数（HDI）でみると、70 年から 91 年の間で、特に経済的に遅れていたブミプトラ（「土地の子」、特にマレー人をさす）が 38%

の上昇率を示していることからも頷ける。このようにマレーシアの事例からみても、貧困撲滅をめざした開発が不安定な社会を安定化させる要因になることが理解できるだろう[29]（国連開発計画 1994：44）。

また、コーリアらの報告書『戦乱下の開発政策[30]』は、「戦争は開発を遅らせるが、開発は戦争を防止する」という仮説を検証している（世界銀行 2003：1）。まず前半部分に関しては、戦争は経済的および社会的コストをもたらすと述べている。経済的コストの面では通信、空港、港湾、道路など物理的なインフラの破壊によって、国内の生産活動が麻痺して経済成長率を低下させることになる。また、1995 年の 1 人当たり GDP（国内総生産）が 3000 米ドル未満の国を平均的な途上国として考えると、対 GNP（国民総生産）比で約 2.8% の軍事費が支出されており、内戦時には平均 5% まで増加していると述べている。

同報告書におけるシミュレーションによると、軍事費が対 GDP 比で 2.2% 増大し、平均的長さの 7 年間の紛争が継続すると GDP の約 2% が永久に損失することになる。内戦を経験した 18 カ国のうち、1 人当たりの GDP の伸び率が計算可能な 14 カ国の具体的なデータを用いると、年平均成長率でマイナス 3.3%、1 人当たりの所得が 15 カ国で減少し、食糧生産が 13 カ国で低下し、対外債務の対 GDP 比率が 18 カ国すべてで上昇し、輸出の伸びが 12 カ国で鈍化する。そしてすべての国でマクロ経済指標が悪化するという結果が出ている（世界銀行 2003：13-16）。

次に社会的コストの面では、内戦による死者、難民、国内避難民（IDP）が挙げられる。国連難民高等弁務官事務所（UNHCR）によると、2001 年の世界全体の難民数は 1200 万人、IDP は 530 万人である。例えば、アフガニスタンの難民数は 387 万 5000 人、IDP は 120 万人と報告されている。1990 年代にはアフガニスタン総人口の約 40% が難民化している計算になる（世界銀行 2003：17）。

さらに同報告書は、内戦後の経済的および政治的後遺症として、次の特徴を挙げている。第1に内戦後も軍事支出が元の水準に戻らない。紛争直後10年間は平均してGDPの4.5%を支出しているという。第2に内戦中の資本逃避である。内戦中に資本逃避が民間資産の9%から20%まで増加し、内戦直後の10年間では26.1%までに上昇するという。第3に、内戦が腐敗した社会を生み出す原因となる。その結果、その腐敗（紛争経済などに基づく汚職・不正）を是正するのに長期間を要することになる（世界銀行2003：19-22）。

社会的な後遺症として、内戦による人的被害、戦闘員の死亡、民間人の死亡のほかに、内戦後の精神的な後遺症（心的外傷後ストレス症候群：PTSD）が挙げられる。さらに難民・IDPキャンプにおける特に5歳未満児（幼児）の死亡率に関しても、戦時下では13%に上昇するものの、内戦後も劣悪な公衆衛生で下痢などを引き起こし、内戦終結後5年間においても11%を上回る数値が出ている。その他、地雷を挙げることができる。対人地雷は紛争後も長期にわたって人間に損傷を与え、併せて経済活動を停滞させる原因にもなっている（世界銀行2003：22-30）。

このように、紛争（内戦）は政治的・経済的、さらに社会的にも多くの後遺症を残し、しかも内戦直後から10年間程度はその後遺症の影響で復興・開発が遅れることになる。他方、「1人あたりの所得を倍増すると、反乱のリスクはほぼ半減する。その伸びが1%上昇するごとに、リスクはほぼ1%ずつ低下する」（世界銀行2003：53）といわれるように、紛争後の経済成長（開発）を実現することは紛争（再発）予防の観点から特に重要なる。それはすでにマレーシアの事例でもみた通りである。

図7-2は、世界銀行が紛争段階に応じて行う復興政策を5段階の枠組みで提示したものである。紛争段階や紛争後の復興段階のさまざまな段階に応じて世界銀行が関与し、主導していく過程を表している。具体的に第1段階では、紛争国家内の現況を注視することで

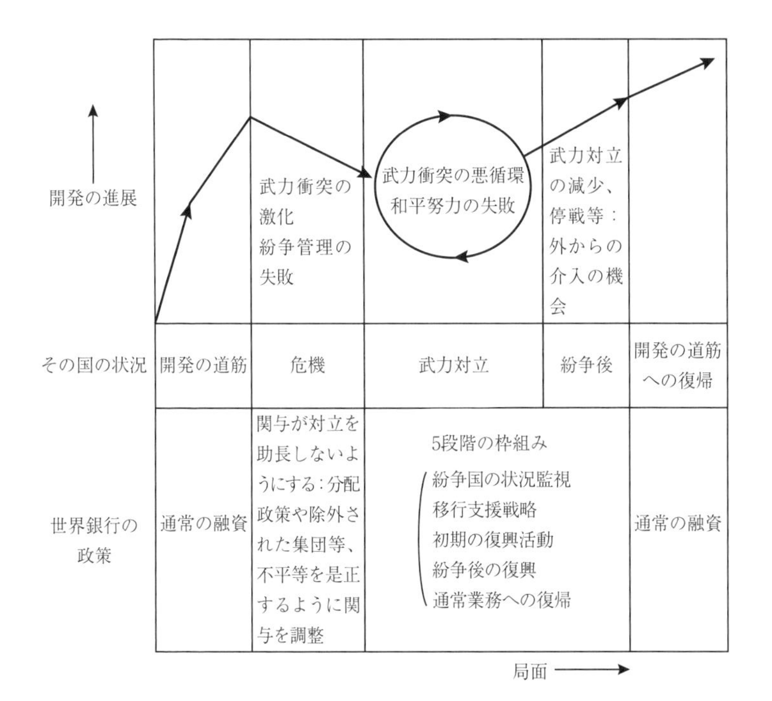

図 7-2　世界銀行の概念――紛争の諸段階と開発の道筋

出典：下村恭民・辻一人・稲田十一・深川由起子編（2001）『国際協力――その新しい潮流』有斐閣、139 頁（原資料：World Bank, *Post-Conflict Reconstruction: The Role of the World Bank*, The World Bank, 1998, p. 59.）

ある。つまり、効力の有しない金融資産が機能し、国家の開発の道筋を維持するためであり、また、いったん紛争後の復興活動が始動したならば、世銀の支援活動が有効で時宜を得たものにするための準備に役立つ知識を供与するためである。

第 2 段階では、移行期の支援戦略をめざす。世銀スタッフは状況の悪化がない想定で、移行期の支援戦略で詳細な評価や計画の手続きを開始する。また、世銀は復興で政府や他の主要な関係機関と協力して国家復旧計画準備の支援を行う。さらに予想される支援活動に対していかにして財源を確保するのか。計画には、リスクに対する明確な申し立て、出入口のための戦略、地域管理の勧告も含まれている。

第3段階では、早期の復興活動をめざす。国家が紛争から抜け出すうえで早期の対応が決定的に重要であり、初期段階の平和プロセスの強化・実現を左右する。迅速な対応が暴力の再発を防ぎ、長期に及ぶ復興のための基礎を構築するのだという。さまざまな機会が創出されるにつれ、早期の復興活動が始動することになる。

第4段階では、紛争後の復興に焦点を当てる。大規模な活動が可能になるや否や、それは通常あるいは非常時の政策や手続き[31]（OP/BP8.50）の下で実行される。例えば、安全状況や政府の関与が認められる場所では、物理的な再建、経済の回復、制度構築、自ら描いた地域社会への積極的な参加を含んだ社会的再統合の復興に向けた広範な支援が包含されている。

最後の第5段階では、通常の活動への回帰を示している。特に非常事態が収束したときに、いったん世銀の活動は通常の融資手続きの下で実施されることになる。紛争の意識が弱体化し始め、国家支援戦略（Country Assistance Strategies）と経済部門業務が明確に紛争の影響と、以前に戻れない、あるいは望まない現状に復帰する永続的な社会の変形を認識することになる（World Bank1998：40-48）。

以上は世界銀行が紛争後の復興支援の役割に基づいて作成した内容である。ただし、前述の通り世銀は「平和構築」ではなく、「復興支援」を用いている。それは国連機関内での世銀の責務は復興・開発支援であり、直接的な平和構築に関わる権限を有していないからである。とはいうものの、世銀は広い意味で「開発と紛争」の関係性に大きな関心を抱いている。2011年版の『世界開発報告』のテーマは「紛争、安全保障と開発」だった。第1章では「反復的暴力が開発を脅かす」ことに注視する。暴力が人的被害とともに、物的資本を破壊し、成長を阻害していることを指摘する。03年出版のポール・コーリアらの報告書が指摘した内容を裏付けている。

表 7-2　暴力的な紛争がもたらす男女別のインパクト

	直接的インパクト	間接的インパクト
男性	・戦闘に伴う罹患率と死亡率が高い ・拘留ないし行方不明の可能性が高い ・性的ないし性ベースの暴力；性別選択的な虐殺；強制的な徴兵ないし入隊；拷問・強姦・切断；他人に対する性的暴力行使の強要 ・負傷に伴う不具率が高い	・元戦闘員が犯罪や違法活動に関与するリスクと生計手段を発見する困難さ ・特に家庭内暴力など他の形の暴力の広がり
女性	・国内避難民や難民になる可能性が高い ・性的ないし性ベースの暴力；強姦・人身売買・売春；妊娠・結婚の強要	・生殖医療問題 ・女性の生殖機能と介護提供の役割がストレスに陥る ・家族員の死亡や「追加労働者効果」による労働市場参加の変化 ・家庭内暴力の発生率上昇 ・政治参加増加の可能性 ・紛争中における性別役割の変化を反映して女性の経済的参加増大
共通	・憂鬱、心的外傷（トラウマ）、精神的苦痛	・資産／所得の損失 ・移住増加の傾向 ・結婚／受胎のパターン混乱 ・保険メカニズムを含め家族や社会的ネットワークの喪失 ・教育の中断 ・特に貧困と栄養不良に伴う不健康や障害を中心とした福祉の減少

出典：世界銀行編著（2012）『世界開発報告 2011 紛争、安全保障と開発』田村勝省訳、一灯舎、54 頁、表 1.3

本報告書でも開発への暴力のインパクトが報告されている。特に暴力の直接的なインパクトは戦闘部隊の過半数を占める青年男子に向けられるが、他方で間接的な影響が女性と子どもにも不釣り合いの大きな被害をもたらしていると指摘する。拘留人口の96%、行方不明者の90%は男性である一方で、難民・国内避難民の80%近くが女性と子どもであるという。さらに、暴力は暴力を引き起こす。具体的には虐待を目撃した子どもが暴力を引き起こす割合が高いという数値をあげている（世界銀行 2012：53)。これらの状況を表7-2で整理しておきたい。

最後に世界銀行の直近の取り組みを紹介しておく。2020年2月27日に世界銀行は世界全体で極度の貧困を解消するために、脆弱性（Fragility）・紛争（Conflict）・暴力（Violence）（FCV）の影響下にある国々に対して緊急行動の必要性を訴えた。またFCV戦略と同時に、報告書『脆弱性と紛争――貧困との戦いの最前線で[32]』を出している。ここでいう世界銀行グループとは、世界銀行を中心に、最貧国向けの基金である国際開発協会（IDA)、FCV影響下の国向けに配置される職員の増強や資源の拡大を行う国際金融公社（IFC)、また民間セクター投資支援に関与している多数国間投資保証機関（MIGA）で構成される。グループ全体で協力をしてFCV戦略の完遂をめざすという。

世界銀行のプレスリリースを見ると、FCV戦略を実行しなければ、2030年までに世界の最貧困層のうち、最大3分の2が属する脆弱性・紛争の影響下の国々で極貧の生活を強いられることになる。また、脆弱性・紛争の影響下では人的資本が大きく損なわれ、生産性や生涯所得の低下を生み、社会経済的な移動の制限という悪循環を引き起こしてしまうと述べる。さらに、このような状況下の国々では5人に1人の割合で、資金、教育、基礎的インフラへのアクセスが困難になる。紛争と隣り合わせの者が過去10年間で2倍に増えていると指摘する（2020年2月27日)。

また、デイビッド・マルパス世界銀行グループ総裁は「人道危機への対応には、緊急支援と長期的な開発アプローチ」が求められ、「極度の貧困に終止符を打ち、脆弱性・紛争・暴力の連鎖を断ち切るために、各国は基礎的サービスへのアクセス確保、透明性が高く説明責任を果たす政府機関の確保、最も阻害された人々の経済・社会的包摂を進める必要がある。こうした投資は人道支援と並行して進めるべきである」と訴えている（OXFAM International 2020）。

最後に、改めて報告書が提示する5つのメッセージを確認しておく。

①極貧はFCS（脆弱で紛争影響地域）にますます増加集中しており、グローバルな貧困目標はFCSでの集中的な取り組みなしでは立ち向かえない。
②データの欠如はFCSの70%に影響を与え、福祉の必要性を理解し、処理するうえで主要な障壁となっている。
③ FCSにおける貧困は典型的に多様な局面で同時に起きる剥奪に関係し、また介入戦略も複合的な経路を通じて作用する必要がある。
④紛争は世代間に続く資産とともに、人的資本や生産性に損害を与えることで開発を危うくする。
⑤脆弱性の側面で国家をまとめると、2つの重要な結論が導き出せる。1つは、FCS諸国のなかには大きな異質性があり、もっとも有効な解決のために特化した政策と計画アプローチを求める必要があること。2つ目は、FCS諸国と非FCS諸国の両方において、脆弱性の重要な指標があり、予防措置のために監視する必要があることである。

以上のように、世界銀行の紛争予防の取り組みは基本的に民主主義や国際協調主義を前提にしたグッド・ガバナンスの普及活動であるといえよう。

3. 武器ビジネスをめぐるガバナンスの揺らぎ

広義のグッド・ガバナンスを規定したOECD-DACには、民主的な政治制度のなかに「過度な軍事支出の削減」も含まれている（稲田2006:9-10)。また、1992年に制定された日本の政府開発援助(ODA)大綱における援助実施原則4項目の2番目にも「軍事的用途及び国際紛争助長への使用を回避する」[33]と謳われている。2015年2月に閣議決定された「開発協力大綱」においても、大綱の基本方針の最初に「非軍事的協力による平和への貢献」が掲げられ、平和国家としての日本の指針として引き続き、開発協力の軍事的用途および国際紛争助長へのODA転用への回避を訴えている[34]。

UNDPの『人間開発報告書』で大きな役割を担ったパキスタン出身の経済学者マブーブル・ハク（Mahbub ul Haq）は、途上国と先進国の相互責任体制に基づく、開発協力の新しい展望を求めた。具体的には国際市場への公正な参入機会と開放された市場であり、同時に開発途上国に対する軍事支出削減への圧力を訴えた。要するに、軍事援助を経済援助に転換し、軍事基地の段階的な撤去とともに武器輸出を制限し、兵器産業への助成金制度の撤廃を述べ、国際的な圧力の必要性を訴えたのである（ハク 1997：41)。

ハクは増大する軍事費と人間開発とのトレードオフの関係を危惧し、途上国の軍事費が人間開発の阻害要因になっている点を指摘しているのだ。中野洋一は軍拡と貧困問題の関係性に注目し、特に2001年の同時多発テロ以降の軍事費増大を指摘する。ストックホルム国際平和研究所（SIPRI）のデータを分析した結果、世界の軍事費は1990年から96年までは毎年前年比でマイナスが続き、97年から99年がほぼ横ばいで底であり、2000年に前年比3.8％、01年に前年比2.0％とプラスに転換され、9・11事件後の02年から右肩上がりで急増し、1980年代の冷戦期同様の軍拡期を迎えたと、SIPRIなどの資料を駆使して分析する（中野 2010：214-215)。

なお、中野は世界の軍事費の動向に加え、武器貿易に関する統計の分析を『SIPRI 年鑑』と『ミリタリーバランス』の統計に基づき分析を試みるが、両者の数字が一致しないこともあり、実態分析の難しさを指摘する一方で、全体的な傾向を基に分析を行っている（中野 2010：241-245）。本項では 2000 年代前半までの分析は中野に依拠し、10 年代の数値を SIPRI の分析に基づいて掲載されている『世界国際図会』（2018/19、2019/2020、2020/2021 年版）を利用して分析する。

図 7-3 からわかるように、通常兵器の輸出国の 2015 年から 19 年までの累計割合ではアメリカ 36.4％、ロシア 20.6％、フランス 7.9％、ドイツ 5.8％、中国 5.5％、イギリス 3.7％、スペインを含むその他 20.1％であり、上位 6 カ国ではドイツ以外が国連安保理の 5 常任理事国であり、この 5 カ国が輸出世界総計 1458 億（SIPRI 独自の価格単位 TIV）の 74.1％を占めることになる。

他方で、通常兵器輸入国側をみると、かなり分散しており最大の輸入国はサウジアラビアの 12.1％、次いでインド、エジプトと続き、その他 56.1％となっている。むしろ興味深いのが紛争国あるいは紛争経験国がどのような国から通常兵器を輸入しているのかである。例えば、アジア諸国は中国との南シナ海上での領土紛争を抱えている。領海紛争国のベトナムの輸入先をみると、ロシアが圧倒的で 80％弱の兵器を輸入している（2014―19 年累計割合）。インドとパキスタンの兵器輸入先をみると、中国の輸出先第 1 位がパキスタンで 34.8％を占め、他方でロシアの輸出先第 1 位がインドで 25.1％を占める。

アメリカの兵器輸出先は同盟国が中心になっている。地政学上、不安定な地域に位置する中東のサウジアラビアはアメリカから 73.5％、アラブ首長国連邦は 67.7％、カタールが 49.6％、イラクが 45.0％の兵器を輸入している。アメリカと中東地域の深い関係が読み取れる。5 年間の累計で通常兵器輸出総額 5 位の中国の兵器輸出先をみると、前述のパキスタンに次いでバングラデシュ 20.4％、ア

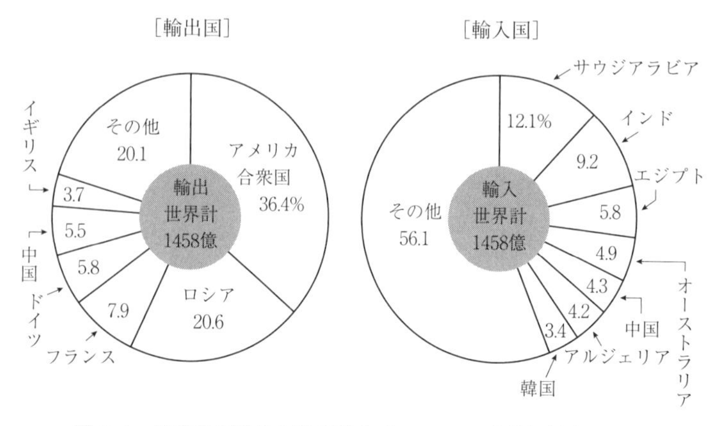

図 7-3　通常兵器輸出入国の割合（2015 － 19 年計）（単位 TIV ＊）

* TIV（trend-indicator value）は、SIPRI 独自の価格単位で、通常兵器の移転に関する販売価格ではなく生産コストなどに基づいて見積もられた評価額をさす。

出典：SIPRI Arms Transfers Database（矢野恒太記念会編（2020）『世界国勢図会――世界がわかるデータブック 2020/21』矢野恒太記念会、470 頁）

ルジェリア 9.9%、ミャンマー 6.1%、その他 28.8%となっている。これらの国々は中国の「一帯一路」構想沿線国であり、多額の援助を受けている国々でもある。

輸出国の輸出先と輸入国の輸入先を比べてみた特徴は、第 1 に同盟関係にある国は圧倒的にアメリカに依存している、第 2 に米・露との等距離外交の立場を採る国、あるいはかつての非同盟的立場を採る国（例えばインド、エジプトなど）は兵器輸入先についてもバランスを重視しており、また今後は援助関係が深まることで中国から兵器輸入を増やす国も拡大するものと思われる。ただ、そもそも兵器製造国家は前述したように国連安保理 5 大国が中心である点で輸入先は限定されていることはいうまでもない。

なお、イギリス国際戦略研究所 IISS “The Military Balance”（2020 年版）のドル換算での 2019 年の国防支出上位 5 カ国をみると、アメリカが 6845 億 6800 万ドル、中国が 1811 億 3500 万ドル、3 位サウジアラビア 784 億ドル、4 位インド 605 億 4300 万ドル、5 位

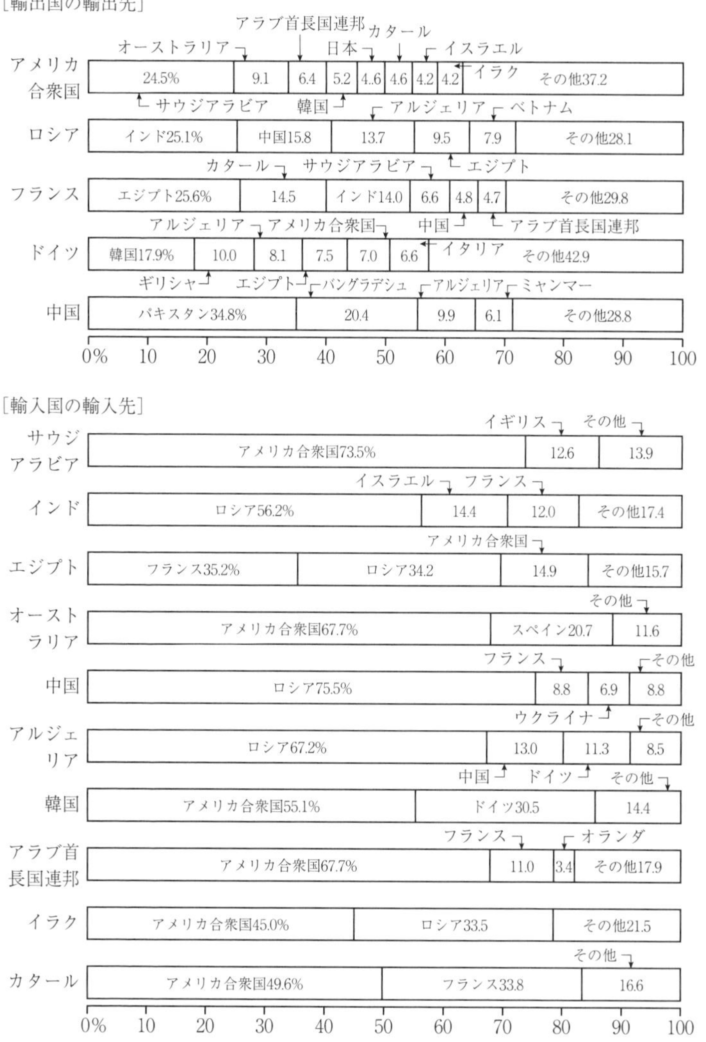

図 7-4　通常兵器輸出入国の輸出先と輸入先（2015-19 年計）

出典：前掲『世界国勢図会』471 頁

ロシア482億600万ドルとなっている。17年からの2年間の増減では、サウジアラビアが106億6710万ドル減少しているのに対して、アメリカが85億8460万ドル、中国が26億7820万ドルの大規模な国防支出の増大がみられる。ちなみに、インドとロシアは2億5170万ドルと2億4190万ドルの増大となっている（矢野恒太記念会2020：458-465）。

米中の国防支出増大の背景に両国の対立と覇権争いがあることはいうまでもない。しかしながら、アメリカの大規模な国防支出の増大の要因には、同国が抱える軍産複合体がある。アメリカは第二次世界大戦後から多額の軍事費を費やしてきており、国防総省を背景とする軍部と軍需産業との癒着した関係が政治や経済にも及び、いまや政府官僚や研究機関を巻き込む軍産官複合体へと拡大している。実際、表7-3をみると、兵器製造および軍事関連売上高の5位までをアメリカ企業が占め、それらの対総売上高も3社で90％近くになる。

南アフリカ出身で武器取引問題に取り組んでいるアンドルー・ファインスタインは『武器ビジネス――マネーと戦争の「最前線」』（原書名は、*The Shadow World: Inside the Global Arms Trade*）という大著を出版している。同書の序文で「武器取引は世界の指導者や情報機関の工作員、技術開発の最先端にいる企業、金融業者や銀行家、運送業者、あやしげな仲介人、マネーロンダリング業者、普通の犯罪者の共謀によって運営されている」と述べている。武器取引は「秘密のベールにつつまれ、政府間で締結され、それから政府がその取引を履行するように製造会社に求める」のだ（ファインスタイン2015上巻：17-18）。

武器取引は公式あるいは合法的な取引が行われている一方で、怪しげな仲介人や代理人が関わる灰色市場や闇市場も存在し、影の世界の取引も行われているという。その結果、武器禁輸に違反し、当該国内や多国間の法律・協定・規定に反する取引も横行し、武器取

表 7-3　世界の兵器製造および軍事関連企業

	企業名	国名	軍事売上高（百万ドル）		対総売上高(%) 2018
			2017	2018	
1	ロッキード・マーチン	アメリカ	43,880	47,260	88
2	ボーイング	アメリカ	26,930	29,150	29
3	ノースロップ・グラマン	アメリカ	22,370	26,190	87
4	レイセオン	アメリカ	22,040	23,440	87
5	ゼネラル・ダイナミクス	アメリカ	19,500	22,000	61
6	BAE システム	イギリス	20,990	21,210	95
7	エアバス・グループ	*	9,980	11,650	15
8	レオナルド	イタリア	8,820	9,820	68
9	アルマズ・アンティ	ロシア	8,570	9,640	98
10	ターレス	フランス	8,960	9,470	50

* エアバス・グループはオランダ、フランス、ドイツなどからなる欧州多国籍企業
中国の軍事企業は上位に来ると予想されるが、正確な情報不足のため除かれている。
出典：前掲『世界国勢図会』472 頁（SIPRI 資料より作成）

引に関わる関係者間で贈収賄や腐敗行為が蔓延化し、公明正大な武器取引はわずかだと指摘する（ファインスタイン 2015 上巻：17-18）。

軍事が国家機密である以上、細部まで情報公開を期待することは難しい。もっとも、非対称的紛争の増大で、政府軍と反政府軍は競って武器購入を行っていることに鑑みて、武器取引におけるブローカーやディーラーが介在していることは想像に難くない。しかしながら、著者は「この強力だが秘密主義の世界を発見する旅」として同書を著したのだ。

同書の圧巻は、石油で富を増やすサウジアラビアに対するイギリスの巨大防衛企業（BAE）とアメリカのライバル会社との武器取引をめぐる軍需企業代理のブローカー間の競争である。そこには、武器取引の獲得を有利にするために政府や情報機関までが関与し、驚くほどの贈収賄や腐敗行為が蔓延している。また、アフリカの紛争地帯における武器取引の実態も報告している。上巻の末尾では武器取引に関わるすべてのステークホルダーが高い透明性と説明責任を果たすべきだと指摘する。

下巻は世界最大の軍事大国であるアメリカに焦点を当てている。

前述した「軍産複合体（MIC）」という言葉は、陸軍参謀総長などを歴任した、軍出身の第34代大統領ドワイト・D・アイゼンハワーが述べたものである。軍産複合体は共産主義との闘争を掲げて、行政府、議会、産業界を巻き込み、CIA（中央情報局）を駆使して秘密のベールを作り出し、説明責任を弱体化し、国益推進と政府に好意的な企業の私的利益の区別を曖昧にしたとアイゼンハワーは述べる。要するに、アイゼンハワーはアメリカの武器ビジネスが軍需品製造業者だけではなく、議会も関与する組織的共謀関係を構築していると告発したのだ。これは軍産議複合体（MICC）、あるいは「鉄の三角形」とも評された。また、輸出取引にからむ腐敗行為で、代議士の選挙資金にも回る組織的で脱法的な贈収賄も引き起こしてきたという（ファインスタイン 2015 下巻：5-10，22-23）。

以上のように、ファインスタインの著書を読むと、武器ビジネスが最大の民主主義国家であるアメリカのみならず、現在紛争に直面する国家においてもさまざまな負の効果を引き起こしていることが理解できる。武器取引で引き起こす腐敗行為は紛争という暴力のみならず、先進国内で直面する貧富の格差の問題にも通底する。改めてグッド・ガバナンスの対象が発展途上国のみならず、それを推進する立場の先進国にもブーメラン効果として受け入れられ、民主主義、人権、法の支配に基づく国際社会を実現することが望まれる。

第8章　平和学からみた平和構築アプローチ

1. 国際紛争の諸類型と解決に向けた理論的枠組み

岡部達味は、「国際社会におけるなんらかの社会的集団主体間の目標・価値における非両立性」を有する状況を「国際紛争」と呼ぶ。この場合の紛争は必ずしも暴力的な紛争のみを指すわけではない。他方で平和を「紛争が非暴力的手段によって処理・解決され、それが制度化されている状況」と定義する（岡部 1992：116）。岡部の定義を敷衍すると、国家間の資源や領土をめぐる紛争はゼロ・サム（zero-sum）の典型であり、まさに非両立性を反映した伝統的な国際紛争の事例になる。他方、対話など非暴力的な手段で紛争を処理・解決する平和は、ウィン・ウィン（win-win）の関係を想定する。

本節では東西冷戦下の1950～60年代にすでに著された古典的な紛争定義を紹介してみる[35]。例えば、ケネス・ボールディング（Kenneth Boulding）が62年に出版した *Conflict and Defense*（『紛争の一般理論』）では、紛争とは「当事者たちがありうべき将来の位置（ここでは目標を意味する－岡部）の相容れないことに気づいており、かつ、それぞれが、他方の欲求と相容れないその位置を占めようと欲しているような競争状態」（ボールディング 1971：9［岡部訳：116］）と定義している。

ボールディングは紛争の和解の成否が中核と外殻の2つの価値構造に基づいていると説明する。もし紛争が中核の価値に属するものであれば、強烈な体験や転向がなければ和解は困難であり、他方紛争が外殻の価値に属すれば、変化は可能であり、場合によっては話し合いで和解が成立するという。要するに、人間のイメージの価値構造が中核的なものか、外殻的なものかが和解への必要条件になると指摘する（ボールディング 1971：382–383）。

ルイス・コーザー（Lewis A. Coser）は、1956 年に *The Functions of Social Conflict: An examination of the concept of social conflict and its use in empirical sociological research* を出版している。コーザーによれば紛争とは「価値および限られた地位、権力、及び資源への欲求をめぐる闘争であり、そこでの対立者が、相手方を中立化し、傷つけ、あるいは消滅することをめざす状態」（Coser 1956:8［岡部訳：116-117］）だと分析する。

コーザーは紛争の処理・制度化に有効な現実的紛争（realistic conflict）と非現実的紛争（non-realistic conflict）の２類型で紛争を分析する方法を提案している（Coser 1956:48–55）。現実的紛争とは「一定の関係の中において、参加者の利得の計算に基づき、特定の要求が満たされないことによって生ずるもので、かつその満たされない対象物に向けられるもの」である。他方、非現実的紛争とは「二者以上の間の相互作用を伴うが、対立者間の対立する目標から生ずるのではなく、少なくとも一方の当事者の（内部的な－岡部）緊張緩和の欲求から生ずる。この場合、対立者は、なんらかの争点に直接関連する決定要因によって選択されるのではなく、また、特定の目標の達成をめざすものではない」とそれぞれが定義されている（Coser 1956：49［岡部訳：121］）。

要するに、現実的紛争は「手段に関する機能的代案」が存在するため、目標を達成できる他の方法が見つかれば紛争は終了する。例えば、労働者の賃金闘争などは妥当な申し出がされれば和解が成立する。しかし非現実的紛争は「目標に関する機能的代案」しかないので、例えば反ユダヤ主義に起因するようなアイデンティティをめぐる心理的な紛争の解決は困難になるのだ。

最後に、アナトール・ラパポート（Anatol Rapoport）が 1960 年に出版した *Fights, Games, and Debates* をみてみたい。ラパポートは序章で紛争の3つの方法として、闘争、ゲーム、討論を提起している。闘争とは計算ずくではない、戦略的な思慮がない対立を意味する。互いに単純に行動を起こし、唯一の目的は相手を傷つけることである。ゲームでは、互いの動きに対する相手の反応が体系的に理解されたり、あるいは描かれたりするならば、別の結果の可能性や評価が説明可能になることだ。

換言すれば、闘争は相手が合理性を欠いていると考えるのに対して、ゲームは相手の合理性を想定した戦いである。また、討論に関しては、互いに議論で向き合う。相手を傷つけることも、相手の裏をかくこともなく、目的との関連が明確である。その目的は一方が他方に物事を理解させ、相手を納得させることにあるのだという（Rapoport 1960：10-11）。

最後に、岡部はこうした紛争研究から得られた知見を基に3つの次元からなる紛争の諸類型とその処理・解決方法を紹介する。第1次元では、「具体的な争点を有する紛争」（利害紛争）と「具体的な争点を有しない紛争」（心理紛争）が基準になる。第2次元は「構造的紛争」であるか否かになる。ここでいう「構造的紛争」とは、「紛争当事者間に長期にわたって固定的な不平等関係が存在し、このため紛争当事者の一方に大きなハンディキャップが生まれ、かつこの不平等関係の是正以外にこのハンディキャップを克服する可能性が乏しい状態」を指している（岡部 1992：118）。第3次元は、紛争原因が紛争当事者にとって価値体系の中核部分か、外殻部分かのどち

表8-1　紛争の諸類型

具体的な争点を有する紛争	具体的な争点を有しない紛争
(1) 取引可能、ゲーム化された紛争 (2) 取引可能、未ゲーム化 (3) 妥協不能、原則論的紛争	(1) コミュニケーションの欠如 (2) 信頼感の欠如 (3) 内部要因の外部転嫁

出典：岡部達味（1992）『国際政治の分析枠組』東京大学出版会、127頁

らに属しているのかを問う。

岡部は表8-2のように、これら3次元を使ったマトリクスをつくって紛争の類型化を試みた。しかし、岡部自身も指摘するように、現実の紛争要因はいっそう複雑な要因が絡み合っている。第6章第1節でみてきたように、武力紛争は政府と反政府で起きる国内紛争、政府と非政府組織集団間の紛争に他国からの干渉をともなう（国際）紛争、2カ国間以上が関与して起きる国家間紛争で分類している。しかしながら、こうしたウォレンスティーンらの武力紛争の分類は岡部の紛争類型に包含される側面要因として捉えることも可能だろう。

最近の紛争事例を表8-2に照らして考えてみよう。岡部の定義で確認したようにこの表でいう紛争は必ずしも暴力的紛争のみを指しているわけではない。例えば、2011年にはじまったシリア紛争は政府、反政府、イスラム国（ISIS)、外国勢力が複雑に絡み合い、近隣周辺国に500万人以上の難民が流出し、現在も終わりの見えない内戦を続けている。この状況からみると、政権の正統性をめぐる表8-1の具体的紛争であり、かつ政府と反政府勢力の宗派をめぐるエスニック紛争である点では心理的紛争でもある。アサド政権の強権支配という点では構造的紛争にもあたり、そしてアメリカ・EU・ロシアが背後に絡む国際紛争でもある。シリア紛争は典型的なⅠの

表8-2　紛争のあらわれ方

具体的紛争	心理的紛争	構造的紛争	
		あり	なし
あり	あり	Ⅰ	Ⅴ
	なし	Ⅱ	Ⅵ
なし	あり	Ⅲ	Ⅶ
	なし	Ⅳ	Ⅷ

出典：前掲『国際政治の分析枠組』131頁

範疇に属すると思われる。誤解を恐れず範疇分けをすれば、一般的にエスニシティに絡む紛争はⅠかⅤ、資源や領土に絡む紛争の場合はⅡかⅥの分類に属するのではないだろうか。

他方で、非暴力的な紛争では、2014年のスコットランドの独立住民投票、17年のカタルーニャの独立住民投票はそれぞれの連邦政府との対立である。分離独立という具体的な争点を有し、住民投票という紛争処理の方法がある一方で、歴史的共有がなされていないがゆえのエスニック集団間の対立、あるいはコミュニケーションの欠如による相互不信の対立が背景にあるとみられる。さらに、地域間の資源分配の不平等という構造的紛争が背景にあるのかないのかについての判断によって、ⅠかⅤの位置づけが変わるだろう。

日韓関係で深刻化しているのが徴用工問題をめぐる対立である。具体的争点、歴史的背景に基づく心理的対立、コミュケーションの欠如に基づく不信や疑心暗鬼、文在寅政権の国内支持率の低下にともなう対日政策への転嫁、いわゆる「内部要因の外部転嫁」も窺える。ただ、日韓内の構造的紛争の要因は限定的だと思われることに鑑みると、Ⅶに該当するかもしれない。また、「米中貿易戦争」は貿易の不均衡が最大の具体的な争点となっている。アメリカ国内で深刻化する所得格差を構造的紛争の要因だと考えるとⅤに属するが、米中の覇権争いが主要因だと考えれば、信頼感の欠如や「トゥキディデスの罠」が背景にある心理的な紛争と捉えられ、具体的な構造的紛争がないとなればⅦに分類できる。

なお、参考までに岡部の分類を紹介しておく。Ⅰは急進的な南と北の対立、Ⅱは南北間の比較的冷静・事務的な対立、Ⅲは植民地紛争の初期のもので、単なる排外思想の発露のようなもの、Ⅳは安定した植民地支配、Ⅴは対日貿易赤字を背景にした日米貿易摩擦、Ⅵは同盟を前提にした米英間の事務的な対立など、Ⅶは現状維持を望みつつ双方が相互不信に陥っている冷戦時代によくみられた状況で、Ⅷは紛争が存在しない状態になる（岡部 1992：131）。「紛争のあらわれ方」は状況によって大きく異なるので、分類は実際上困難だが、紛争を理解するうえで有効な手段だと考えられる。

2. 平和学からのアプローチ

平和構築は「平和を構築する」という意味で、平和研究や平和学との関係性が深い。高柳先男は著書『戦争を知るための平和学入門』で、科学的に蓄積された平和研究の知識を応用すれば、どんな国家であろうとも「平和を脅かしているさまざまな問題を解決できる」「解決するのに役立つ」という目的で、戦争の原因の研究がなされてきたと述べる（高柳 2000：7）。

高柳は平和学を「戦争の原因を、多くの学問を応用してつきとめ、平和の諸条件を探求する学問」と定義し、平和学の学際的・多学応用的研究方法とその多様な研究対象を指摘する。具体的には、環境問題、ジェンダー、人権抑圧、疎外・排除、開発、移民の問題を含み、これらの問題を法律学、経済学、政治学などを駆使して研究する学問だと述べる（高柳 2000：12-14）。

平和学の源流は平和研究であり、2つの系譜があった。すでに前節で紹介した経済学者ケネス・ボールディングや数学者アナトール・ラパポートはアメリカのミシガン大学を拠点に *The Journal of Conflict Resolution* を発行してアメリカ発の平和研究をはじめた。彼らは米ソ冷戦時代の核兵器を使った第三次世界大戦の回避を目的に、ゲーム理論、数学、統計学を駆使して客観的・科学的に紛争解決研究の成果を発信していた[36]。

もう一つの流れはヨーロッパ発の平和研究だった。フランスではガストン・ブートゥール（Gaston Bouthoul）が「戦争学というのは平和のために戦争を研究する学問」との立場で、1945年に「戦争学研究所」を設立し、オランダでは東京裁判にも関わった国際法学者ヴェルト・レーリング（Bernard Victor Aloysius [Bert] Röling）が平和研究所を設立した。しかし、最も大きな影響力を持ったのは社会学者・数学者ヨハン・ガルトゥングだった。彼はノルウェーのオスロ大学に59年国際平和研究所を設立する（高柳 2000：17-18）。

ガルトゥングが提示した最も重要な平和研究の概念は構造的暴力（structural violence）である。この構造的暴力論はインドのスガタ・ダスグプタ（Sugata Dasgupta）が提唱した「平和ならざる状態」（peacelessness）にあるという（多賀 1984:158）。ダスグプタによれば、西欧社会では物理的な暴力である戦争がなければ社会的・経済的利益を担保する科学や産業の発展が可能だと考え、戦争と平和は両立不可能であり、平和は戦争のない状態だと主張した。

しかしながら、東洋ではインドを事例に経済的・心理的両面における貧困、経済的・制度的枠組みにおける伝統的な仕組みを背景にして、インドにおける人々の生活をたえず非平和的状況（peaceless）に追いやってきたのだと述べる。その意味で、東西問題を前提に戦争の回避や国際緊張の緩和をめざす欧米の平和研究とは異なる。すなわち社会構造に根づく南北問題の視点から平和研究を論じるきっかけをダスグプタは提起したのである（多賀 1984：159-160）。

ガルトゥングの構造的暴力は、「潜在的可能性と現実との差異をうみだしている要素すべてにむけられる呼称」（多賀 1984：160）であり、社会構造で生起する文化的能力を含む構造的暴力が除去された状態を積極的平和（positive peace）と呼ぶことになる。具体的には、貧困、環境、人権、非国家主体、さらには教育、保健・衛生、新たな伝染病疾患、自然災害、人口問題、民主化・ガバナンスなどの喫緊の課題も含まれるようになった（多賀 2010：52）。逆に物理的な暴力、すなわち戦争や集団間の組織的な暴力が不在な状況を消極的平和（negative peace）として区別したのである[37]。

最後に、多賀秀敏は平和学が直面する最前線の課題を念頭に、問題領域の拡大、アクターの拡大、さらに戦術（プロセス、攻撃法、対処法、問題解決法）の流れを表8-3のようにまとめている（多賀 2010：65-66）。

表 8-3 「問題→アクター→対処法の拡大」

起こりうる問題領域の拡大	➡	テロリズム（標的・兵器・戦法の拡大）	➡	内戦
参加しうるアクターの拡大	➡	より多くのタイプの私的集団	➡	エスニック集団、私兵集団
とりうる解決法ないしは対処法の拡大	➡	（根拠地・支援国への）武力攻撃、多国籍軍の編成、PKF	➡	平和執行／平和構築

出典：多賀秀敏（2010）「平和学の最前線」（山本武彦編『国際関係論のニュー・フロンティア』成文堂）66 頁に矢印等を加筆。

3. 紛争分析・解決手法の諸理論

(1) 紛争を理解するための分析枠組み

紛争後の緊急人道支援、復興支援、さらに長期間にわたる開発支援活動を行う平和構築活動を有効に展開するうえで、私たちは当該紛争の原因分析をしなくてはならない。つまり、平和構築の主要な目的が紛争の再発予防である以上、当該紛争の特徴や性質を理解することが目的にかなうからである。

サイモン・フィッシャー（Simon Fisher）らは *Working with Conflict: Skills & Strategies for Action* を著し、紛争を分析する理由として５項目挙げている（Fisher et al. 2000：17）。

- 現在の事件のみならず、紛争状況の歴史や背景を理解するため。
- 主要な支配的な集団だけではなく、すべての関係集団を確認するため。
- これらすべての集団の全体像を理解し、互いにどのような関係にあるのかをさらに知るため。
- 紛争を支える要因と傾向を確認するため。
- 成功のみならず失敗からも学ぶため。

また、フィッシャーらは、同書第2章で紛争の分析手法として9つの枠組みを紹介している（Fisher et al. 2000：17-35）。第1に「紛争の段階（Stages of Conflict）」分析、第2に紛争までの「時系列（Timeline）」分析、第3に「紛争地図の作成（Conflict Mapping）」分析、第4に「ABC三角形（The ABC [Attitude, Behaviour, Context] Triangle）」分析、第5に「玉葱（ドーナツ）型（The Onion [Or The Doughnut]）」分析、第6に「紛争の木（The Conflict Tree）」分析、第7に「力の領域分析（Force-Field Analysis）」、第8に「柱型（Pillars）」分析、第9に「ピラミッド型（The Pyramid）」分析である。

本節では「ABC三角形」分析と「ピラミッド型」分析を詳しく扱うが、その他の分析手法に関して、簡潔に言及しておく。「紛争の段階」分析は、5段階に分けて紛争を分析する。紛争前（Pre-Conflict）は、2者以上の紛争当事者間で相対立する目的を有し、紛争へと至るまでの期間を指す。対決（Confrontation）は紛争直前の段階であり、危機（Crisis）は緊張や暴力がもっとも激しくなった紛争の頂点である。結果（Outcome）は危機がさまざまな方法で敗北や停戦などに導かれる段階を指す。紛争後（Post-Conflict）は暴力的な対決を終わらせ、当事者間の緊張が緩和し、平時の関係に戻る最後の段階を示すことになる。

「時系列」分析は、紛争当事者が紛争から和平までに至るそれぞれの出来事を時系列に図式化していく方法である。この分析手法の目的は、正確な事実を基に紛争を紐解くことではなく、むしろ紛争に関係する人々の認識を理解することである。また、人々が互いの歴史や状況を認識し、紛争原因を学ぶための方法である。

「紛争地図の作成」分析は、当事者間に有する問題や相互関係を図式的に示していく。具体的には4つの視角から紛争状況を描いていく。まず、何を、いつ、どのような観点から描きたいのか。また一般的な紛争の内容ではなく、特殊な状況を選択することが重要になる。さらに地図の作成には自身および所属組織を前提に、複数の当事者間の論争、親和、連合、断絶、従属などの関係線を使って能動的に図式化していくことが特徴である。

「玉葱（ドーナツ）」型分析は、外側から芯に向けて「何かを欲している」立場（Positions）、「本当に望んでいる」利害（Interests）、「必ず獲得したい」欲求（Needs）の３層からなる。つまり、公に全てを見聞きするための立場、特別な状況から何かを獲得したいという利害、満たすべきもっとも重要な欲求で構成される。換言すれば、人々の個人的・集団的な行動の基本を形成する根本的な欲求をうまく処理しようとするために、紛争、不安定、不信の結果から生ずる玉葱の皮をできるだけ多く剥ぎ取ることが可能であることを示す。

「紛争の木」分析は、個人よりも集団の行為や集団内行為の分析に多用される。紛争の核心的な問題（Core Problem）は何か。根元にある原因（Causes）は何か。この問題から生じる影響（Effects）は何か。そして、我々の集団が対処すべきもっとも重要な争点は何かを分析することが目的になる。

「力の領域分析」は、紛争に影響する異なる力を明らかにするために利用される。また、積極的な力か、消極的な力なのかを明らかにし、それらの強弱を判断する。そして何が現状維持をもたらすのかを明確にする。それぞれの力は矢印の太さで反映させる。特に、行動や戦略を企図するときの促進勢力や反対勢力を解明したいとき、あるいは戦略の変化や他の勢力の強度を判断したりするときに利用される手法である。

最後に「柱型」の分析である。ある状況が必ずしも安定はしていないものの、しかし一連の要因や勢力によって持続する（柱で支えられている）という前提に基づく。柱を支えている構造を理解し、望まない状況を作り出している要因を解明し、その弱点を熟慮して除去する。また、それらを強化する勢力に変える。この分析手法は、不安定な状況を持続させる勢力が不鮮明なときや、一種の構造的な不正義で積み上げられた状況時に利用される。

さて、より詳しく紛争を理解するうえでよく利用される3つの分析手法を紹介する[38]。第1に、ヨハン・ガルトゥングの「超越法（The Transcend Method）」で、フィッシャーらは紛争の「ABC三角形」分析と呼ぶ。第2に、ジョン・ポール・レデラック（John P.Lederach）の「ピラミッド」型分析である。第3に、多国間援助機関や二国間援助で利用する各国の援助機関の紛争要因分析手法である。特に日本の独立行政法人国際協力機構（JICA）が導入するPNA手法を紹介する。

(2) ガルトゥング（Johan Galtung）の「超越法」

ガルトゥングの『平和的手段による紛争の転換』によると、紛争には独特のライフサイクルがあるという。つまり、暴力勃発と停戦を境にして、暴力以前、暴力の最中、暴力以後というサイクルである。ガルトゥングはこれらサイクルを態度（Attitude）、行動（Behaviour）、矛盾（Contradiction）からなる紛争のABC三角形を描いて説明した。フィッシャーらの著書ではABCのCは矛盾ではなく「状況（Context）」に言い換えている。

ABC三角形は態度（Attitude）と行動（Behavior）と矛盾（Contradiction）のそれぞれの頭文字からなる。紛争のライフサイクルとの関係からみてみよう。第1局面の暴力以前では、紛争に関わりのある当事者への共感の態度、非暴力と創造性が必要とされる。非暴力はメタ・コンフリクトに発展していく可能性を予防し、創造性は紛争に至らないための出口を探すために必要である。

暴力以前で行わなければならないことは、紛争の転換（Transform）である。つまり、紛争当事者のすべてが紛争回避に向けた目標を探し、決して暴力に頼ることなく、しかも想像力を働かせて、暴力に至らないような紛争の転換を目的にする。そこで、ガルトゥングは暴力に至る4つの構造的問題を指摘している。

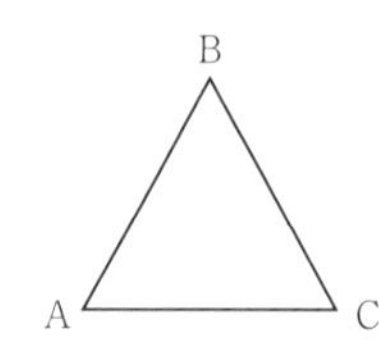

A：Attitude
態度（憎悪、不信感、無関心）――共感
B：Behaviour
行動（身体的・言語的暴力）――非暴力
C：Contradiction
矛盾（閉塞、妨害）――創造性

図 8-1　紛争の ABC 三角形

出典：ヨハン・ガルトゥング（2000 年）『平和的手段による紛争の転換【超越法】』伊藤雄彦監修、奥本京子訳、平和文化、11 頁

第 1 に暴力を肯定（正当化）する暴力文化、第 2 に暴力の構造（抑圧の構造、搾取や疎外の構造、一緒にいたい者同士を引き離す構造、また逆に離れていたい者同士を近づける構造）、第 3 に暴力（勇敢さを見せつける、権力を手に入れるなど）、そして第 4 に（他のグループに対する自身のアイデンティティを確立するための）憎悪に魅せられた暴力行為者（アクター）たちである（ガルトゥング 2000：14-15）。

要するに、暴力以前の段階では、紛争に至りそうな当事者間において、紛争につながるような憎悪、不信感、無関心のような態度を解消し、非暴力的な手段で、紛争回避へ向けた創造性を駆使しながら、それら当事者を「平和の領域」に招き入れ、互いの共感を育み、紛争の転換をめざすべきだという。換言すると、紛争そのものを「超越」する十分な共感と非暴力と創造性を涵養していくことが必要だと述べている。

次の第 2 局面である暴力の最中では、暴力状態を中止させることが第一義的課題になる。そのために、破壊の手段（ハードウェアの武器、ソフトウェアの人力）、破壊する標的（物、人）、破壊しようとする意欲（「闘争心」の低下、厭戦気分）を除去し、勝利への希望をそれぞれの当事者（国）が結果（同様に勝つという思惑）を消滅させることで、当事者間の仲裁を交戦国が使い果たすか、あるいはなくすことで暴力は弱まっていくと指摘している（ガルトゥング 2000：21）。

ガルトゥングは、暴力を消滅させるための 4 つの具体的な方法を挙げている。①武器や傭兵の入出港禁止、②人々を避難させ標的を取り除くこと、③良心的兵役拒否を誘発するように、暴力が引き起こす可視および不可視の結果を明らかにすることによって兵士の士気をくじくこと、④らせん状にエスカレートする暴力によって長期的にはすべての当事者（国）が敗者になると示すことなどを挙げている（ガルトゥング 2000：21）。要するに、身体的・言語的暴力を非暴力によって「超越」する解決手段を求めることである。

最後に第3局面の暴力以後について述べている。暴力以後には、再構築（Reconstruction）、負傷者のリハビリ、物理的ダメージの再建、メタ・コンフリクトを解決する和解（Reconciliation）が重要になる（ガルトゥング：22）。戦後処理に対して暴力の根絶をめざしたプロセスは皆無に等しい。基本的な紛争要因を問わず、紛争の転換を試みなければ、以前の暴力の恐怖が記憶から薄れていき、潜在意識としかならなくなったときに、暴力は再発生する。暴力以後の状態が知らないうちに暴力以前の状態になる点に対して警告を発している。

ガルトゥングの紛争分析枠組みは理念的ではあるが、紛争（広く暴力を含む）以前、最中、以後の3つの時期で紛争当事者が平和な状況を創るうえで、それぞれが直面している課題を超越することの重要性を指摘しているのだ。紛争でもっとも傷つくのは無辜の人々だということを考えると、もちろん紛争以前の取り組みが重要である。紛争を国際社会の努力で解決し、紛争後の平和を形骸化させず、「平和」を静物ではなく生物として絶えず育て上げるシステムの重要性をガルトゥングの「超越法」から学ことができる。

事例——超越法から考える児童虐待の問題

ガルトゥングの「ABC三角形」（超越法）を使った簡単な事例を考えてみる。この超越法は国際的な紛争よりも、むしろ社会問題の解決を扱う方が理解しやすい。例えば、社会問題として深刻化する児童虐待の問題を考えてみる。厚生労働省の調査では、児童相談所の児童虐待に関する2014年の相談件数が1999年の児童虐待防止法施行前に比べ、7.6倍の8万8931件に増加し、虐待死も毎年50人を超えていると報告されている。また、児童虐待は身体的虐待、性的搾取、ネグレクト、心理的虐待の4種類に分類されている[39]。

児童相談所の相談対応では、虐待者は実母（52.4%）と実父（34.5%）が大半を占めている。いわゆる親が児童虐待を行う加害者になっている。親が子どもを虐待する以前にしなければならないことは「暴力（虐待）の転換」である。親が虐待回避に向けていかに想像力を働かせるのか、まず、その態度（A）が重要になる。概して、子どもには厳しい親の躾が必要である。躾は子どもが将来生きていくうえで有益である。日頃反抗する子どもも厳しく対応すると大人しく親の指示に従う。こうした考え方にしたがって、まず想像力を持って「虐待の転換」を図ることが必要になる。

虐待をともなう厳しい躾は、実は子どもたちからの憎悪、不信感、無関心を引き起こすことになる。児童相談所に相談される虐待の種類は心理的虐待（43.6%）でもっとも多く、身体的虐待（29.4%）、ネグレクト（25.2%）、性的虐待（1.7%）と続く。そうなると、親からの言葉による脅し、無視、きょうだい間の差別的扱い、DVなどが主な虐待になる。もちろん身体的虐待も含めていかに子どもたちとの共感を得られる躾に転換できるかが重要になる。筆者も長年教育に携わっているが、褒めることは最大の躾であり、子どもが理解できるまで辛抱強く待つことが求められる。要するに親側も創造性を駆使して子どもとの「平和の領域」のなかで信頼に基づく「虐待の超越」が行われることが重要になる。

次に、虐待を実際に行使（B）してしまった場合は、とにかくそれを中止することがもっとも重要になる。虐待の種類にもよるが、第三者（機関）に相談したり、仲裁を求めたりすることで自らの暴力行使を止める。被害を受けた子どもが家出をする、犯罪に巻き込まれる、最悪の場合は自死するなど、虐待が犯罪行為と表裏一体だと認識することが重要である。要するに、虐待行為を超越する解決手段を即座にとることである。

最後に、二度と虐待を繰り返さないことである。虐待を行ったことで多くの精神的・身体的ダメージの記憶が薄れ、再び安易な方法で躾を繰り返す過ちを犯してしまう（C）。親側は親の期待に応えられないとどのような結果になるのかを子どもはすでに学習したはずだと思いこむ。「なぜ何回いってもわからないの？」というフレーズは想像に難くない。この不寛容な態度が結果的に虐待を再発させてしまう。せっかく、親子相互の理解が進んできたものが、暴力（虐待）以前の状態に戻り、最悪の場合は暴力（虐待）行為を繰り返してしまうことになる。

以上、増大する児童虐待の事例を「ABC三角形」分析を用いて、問題の解決方法を分析してみた。ガルトゥングの超越法は、想像力を持って共感をもたらし、非暴力を実現し、絶えず創造力を発揮して直面する問題の解決を図るという手法である。

(3) レデラック（John Paul Lederach）の3階層ピラミッド

図8-2は紛争における利害関係者を各階層で示したものである。それぞれの階層をみてみると、レベル1は著名な軍事・政治・宗教リーダー、国際組織、政府高官などトップ・レベルの交渉を行うような立場の個人・組織が属する。レベル2は各セクターで尊敬されている指導者、民族的・宗教的指導者、学者・知識人、NGO指導者などの中間領域に属する人々が該当する。最後に、レベル3は地元指導者、長老、地元NGO・地域社会の指導者やワーカー、女性や青年集団、地元保健行政官、難民キャンプ指導者、活動家など草の根レベルで活動している地元リーダーが属している。

それではこの3階層ピラミッドをどのように利用するのか。それは具体的な紛争を取り上げ、まず紛争当事者間における各レベルの指導者を含む主要なアクターを確認し、どのレベルで紛争解決へ向けた作業を行い、またどのように他のレベルを包含できるのかを決定する。次に各レベルで行う紛争解決作業を実施するうえでどの種類のアプローチや行動が妥当であるかを判断する。そして、各レベル間の連携を築く方法を考え、各レベルにおける潜在的な協力関係を求めて、有効な紛争解決を確認する。

紛争は当事者間の著名な政治家、宗教家、軍事的指導者のトップリーダー間の高いレベルの交渉だけでは解決されないことがほとんどだからである。トップリーダー間の交渉による紛争の停戦は可能でも、それを実質的な和平プロセスへと導くには、国際社会からの

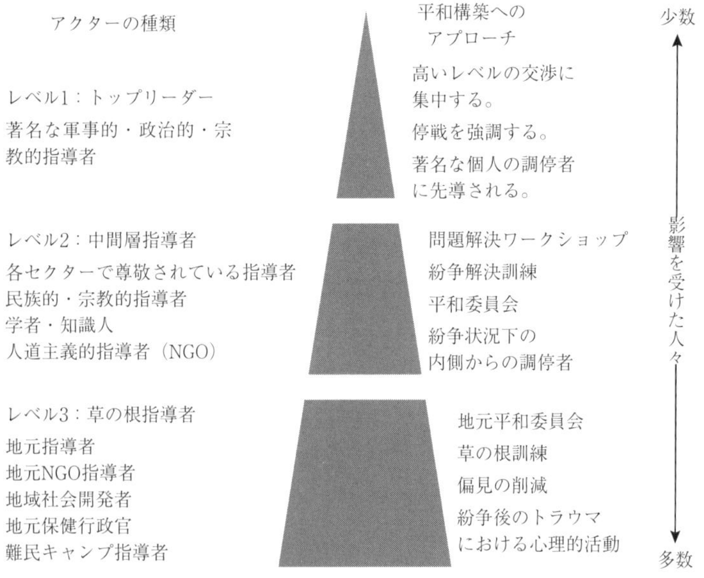

アクターの種類

平和構築への
アプローチ

少数

レベル1：トップリーダー
著名な軍事的・政治的・宗教的指導者

高いレベルの交渉に集中する。
停戦を強調する。
著名な個人の調停者に先導される。

レベル2：中間層指導者
各セクターで尊敬されている指導者
民族的・宗教的指導者
学者・知識人
人道主義的指導者（NGO）

問題解決ワークショップ
紛争解決訓練
平和委員会
紛争状況下の内側からの調停者

影響を受けた人々

レベル3：草の根指導者
地元指導者
地元NGO指導者
地域社会開発者
地元保健行政官
難民キャンプ指導者

地元平和委員会
草の根訓練
偏見の削減
紛争後のトラウマにおける心理的活動

多数

図 8-2　レデラックの３階層ピラミッド

出典：John Paul Lederach(1997), *Building Peace: Sustainable Reconciliation in Divided Societies*, United States Institute of Peace Press, p.39.（図での用語は筆者の和訳）

支援はもとより、レベル2の中間領域の指導者の協力なしには困難である。レベル2の指導者は問題解決ワークショップや紛争解決訓練の実施、平和委員会の組織などを通じて、レベル1とレベル3との橋渡し的な役割が期待される。

図8-2をみてわかるように、3階層ピラミッドの下層であるレベル3の草の根人口（グラスルーツ）の規模は大きい。それは紛争においてもっとも被害を受ける無辜の人々の階層であることを意味している。したがって、国民の大多数が容易に接触可能な草の根指導者の役割は、基層における諸問題を理解している立場にある。レベル2の中間領域の指導者は、これらレベル3の草の根指導者からさまざまな意見を吸収し、それを交渉の最前線にいるレベル1の指導者に伝えることが主要な役割となる。

草の根指導者は、地域に根ざした平和委員会の組織化、地域住民を対象にした紛争解決訓練、紛争当事者間にある偏見の削減、紛争後のトラウマに対処する心理的ケアの活動など、いずれも地域に根ざした活動を行っている。したがって、草の根指導者はトップリーダーが進める停戦を実質的な和平プロセスへと移行させていくうえで、重要な基盤づくりの役割を担い、レベル2の指導者はその中間的架け橋の役割を担っている。

最後に、レデラックは紛争解決を国内レベルの3階層ピラミッド内のアクターの連携で考えており、国際社会のアクターとの関係には言及していない。しかし、国内アクターと対応する国際社会のピラミッドも必要になる。国際機関、有力な第三国の政府、支援国会合、国際NGO、各種市民社会レベルの支援グループなどの位置づけが必要になるだろう。そして、国際社会の支援のベクトルが必ずしも各レベル間で対応するとは限らないし、国内アクターへの支援を求めるベクトルもしかりである。さらに、紛争当事者それぞれのピラミッド（複数のピラミッド）を作成して、有機的な連携で複合的な紛争解決を考えていく方法も考えられるだろう。

事例——3階層ピラミッドに基づくミンダナオ紛争

図8-3の各ピラミッドは、図8-2と同様にトップ、中間層、草の根の指導者が存在する3階層のピラミッドである。各ピラミッドから発せられている矢印は、中央のミンダナオ紛争解決に向けてのそれぞれの役割を果たしていることを意味する。図8-3を理解するうえで最低限必要なミンダナオ紛争の背景を振り返ってみる[40]。40年以上にわたってフィリピン南部ミンダナオで紛争が十数万人の犠牲者と20万人に及ぶ避難民を発生させている。最大の紛争要因はミンダナオ島に多数のキリスト教徒が移住し、その結果イスラム教徒が多数を占めていた南部地域の土地が奪われていき、ムスリム・アイデンティティにとって大きな危機感を引き起こしたことが背景にある。

南部地域には天然資源も多く、イスラム教徒は自らの地域を回復するためにモロ民族解放戦線（MNLF）を立ち上げ、フィリピン政府との武力紛争を引き起こした。その後、MNLFからモロイスラム解放戦線（MILF）と抵抗勢力が移っていく。しかしその一方で、これら分離独立勢力と政府の和平への取り組みが繰り返された。2019年2月にバンサモロ暫定自治政府が発足し、22年のバンサモロ自治政府樹立のプロセスがはじまっている。

日本は積極的にミンダナオ和平に向けて役割を果たしている。例えば、2011年にベニグノ・アキノ3世大統領とムラドMILF議長の初めてのトップ会談が成田空港近くのホテルで開催された。紛争当事者のトップリーダー間の話し合いを日本政府（日本のピラミッドのトップリーダー）が調整したのである。この会談前に、MILFは彼らが提出した和平合意案に対する政府側の対案が出されないことに紛争再発への危機感があったという。したがって、成田会談は両者が和平交渉を加速させ、アキノ政権下での和平合意を確認した点で大きな成果だったという（落合 2019：83-84）。

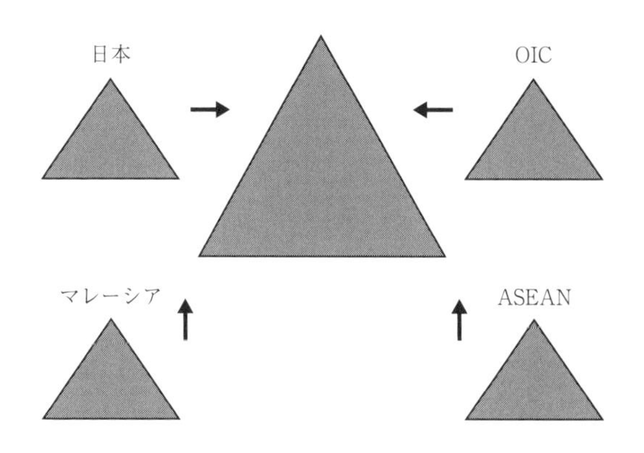

図 8-3　ミンダナオ紛争解決における国際社会の有機的な連携
出典：筆者作成

また、マレーシア政府（マレーシアのピラミッドのトップリーダー）は 1997 年以降から MILF がフィリピン政府との和平交渉を担ってからはシャトル外交で両者の仲裁を果たしていた。マレーシアがミンダナオ紛争の仲介に積極的に関与したのは何よりも地政学的理由が背景にあったが、当時のマハティール首相のリーダーシップも大きな要因だった。マハティールは、ASEAN（東南アジア諸国連合）、OIC（イスラム諸国会議機構、現イスラム協力機構）、NAM（非同盟運動）のスポークスマン的存在だった。

次に、中間層指導者の役割として日本では JICA（国際協力機構）の役割が挙げられる。JICA は 2006 年から和平プロセスに影響力を与えるステークホルダーを一堂に集めて「ミンダナオ平和構築セミナー（COP）」を開催している。COP はマレーシア社会科学大学と共催で、イスラム教徒ミンダナオ自治区（ARMM）政府、地方自治体、宗教界、大学、市民団体、NGO、民間経済界などが参加する平和構築に向けた JICA の取り組みだった。ミンダナオ和平に直接関与してきた落合直之はCOPをファースト・トラック（MILFとフィリピン政府）とセカンド・トラック（COP参加者・団体）との橋渡し役として位置づけ、和平に向け第三者の役割の重要性を指摘している（落合 2019：78-81）。

フィリピンにとって最大の援助供与国の日本は、同国を重要な開発協力対象国の一つとして扱っている。日本の対フィリピン国別援助方針では、「ミンダナオにおける平和と開発」を重点分野としている。具体的にはミンダナオ紛争影響地域に対する社会経済開発支援としてJ-BIRD（Japan-Bangsamoro Initiatives for Reconstruction and Development）政策を打ち出し、行政能力の向上、農業を通じた生計向上、道路等インフラ整備、学校・水道・職業訓練施設の建設・整備を通じたコミュニティ開発の分野で総額500億円以上の支援を実施してきた[41]。

当然ながら、これらの支援内容は二国間支援として政府間で話し合われて決定され、JICAなどの開発金融機関で具体的なプロジェクトとして民間企業やNGOなどに委託される。ここに日本とフィリピン・ミンダナオ地域の草の根指導者の間で協同作業が始まることになる。このように、紛争当事国におけるピラミッドを囲むように複数のピラミッドが、トップリーダー間の政治的な折衝を経て、中間層指導者にアジェンダが投げかけられ、最終的に草の根指導者が具体的なプロジェクトを実施することになる。

ただ注意が必要なことは、必ずしもこのようなトップダウン式の支援の流れになるとは限らないことである。また、レデラックが重視した中間層指導者がイニシアティブをとるとも限らない。むしろ草の根指導者を囲む基層の人々が問題を提起することで、直接トップリーダーを動かすことが増えてきている。それはソーシャル・メディアの発達であり、容易に基層の人々が問題の所在を共有することができるようになったからである。

(4) 援助機関の紛争分析枠組み

紛争後の復興・開発的支援を行うには紛争を引き起こした原因、さらに紛争につながる要因を考える必要がある。世界銀行など多国間援助機関である国際機関、二国間援助を担当する各国援助機関では有効で効率的な援助方法を通じた平和構築をめざして紛争分析のガイドラインを作成している。

例えば、日本の開発援助機関である独立行政法人国際協力機構（JICA）は、1990年代後半頃から紛争影響国・地域での積極的な国際平和協力を推進するためのハンドブックとして『紛争予防配慮・平和の促進ハンドブック――PNA（平和構築アセスメント）の実践』を著している。同ハンドブックでは、紛争要因は国や地域でそれぞれ異なっていても、4つの点で共通した課題を有していると述べる（JICA 2020：3-4）。

第1に「治安、政治・社会状況が流動的・不安定」なことである。これは、紛争終結後の再発の危険性、武器の蔓延、武装勢力の残存、治安維持能力の欠如、地雷・不発弾の未撤去を指す。

第2に「紛争当事者間、コミュニティレベルに対立感情・憎悪が存在」することである。JICAが取り組む開発事業を進めるうえで、旧政府・旧反政府支配地域、政権内の権力分配、武装解除後の元兵士など、紛争当事者間の軋轢が存在しており、住民相互の信頼醸成などが必要になる。

第3に「行政の機能不全、政府に対する住民の信頼喪失」が起きている。紛争影響国では公共サービスの供給や法の支配などガバナンス機能が不十分である。政府に対する信頼関係の回復が必要になる。

第4に「紛争再発要因が残存・新たな不安定要因の発生」が見られる。長期化を背景にした紛争の構造的要因が残存し、開発格差や権力の偏在などガバナンス能力の欠如が生起し、他方で小型武器や地雷の残存などが産業新興や雇用創出を困難にしている。

これら開発事業を促進するうえで直面する課題を踏まえて、JICAは国・地域レベルとプロジェクトレベルの平和構築アセスメント（Peacebuilding Needs and Impact Assessment：PNA）を作成したのだ。また、図8-4に記載の通りPNAの視点として4つ挙げている。

まず、国・地域レベルのPNA分析結果として重視することは、支援課題や協力対象地域に向けた協力プログラムの内容検討に資することである。つまり、紛争影響国・地域に対して新たな開発支援を開始、あるいは再開するにあたり当該国の政治社会状況を把握する必要がある。具体的には、協力展開の意義の見極め、協力展開のタイミングやシークエンス（順序、投入計画）の見極めの必要性が求められていると指摘する（JICA 2020：6-10）。

次に、プロジェクトレベルのPNAの分析結果は、「プロジェクト開始のタイミングの適切さの見極め、対象地域・ターゲットグループの選定、活動内容の検討・見直し、実施体制の検討、実施プロセ

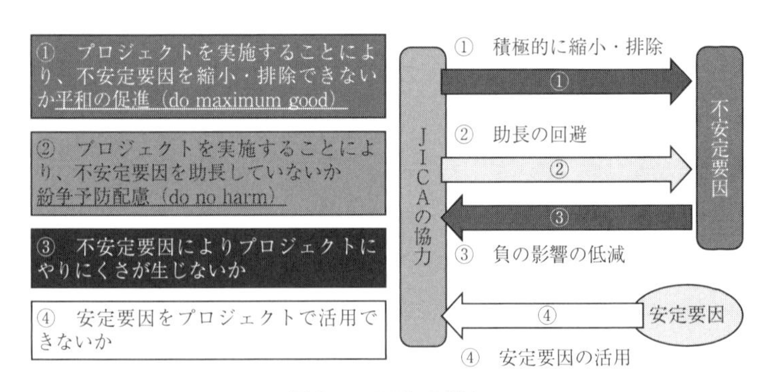

図8-4　PNAの視点

出典：国際協力機構（JICA）（2020）『紛争予防配慮・平和の促進ハンドブック――PNA（平和構築アセスメント）の実践』JICA社会基盤・平和構築部、5、12頁

スの検討に活用」することが期待されている。要するに、「プロジェクトがより平和構築に貢献するための手段・プロセスである」という（JICA 2020：11）。

プロジェクトレベルのPNAを分析するうえで情報は必須である。紛争影響地域独特の困難な状況に直面することも考えられるので、先行して対象地域で活動を展開するほか、ドナー、国際機関、NGOの情報源が最大限に活用されるという。具体的には、国別・地域レベルのPNA分析結果、計画策定時における不安定・安定要因などの情報、有識者への聞き取り、現地活動ドナーの報告書、JICA関係プロジェクトの報告書の分析などが国内作業として行われる。

次に現地作業としては、すでに活動を展開している他組織のモニタリング、行政や市民社会を含む平和構築に関与するステークホルダーの分析結果の活用、プロジェクトに関わる事業者や関係機関、対象地域のコミュニティ代表、プロジェクトの裨益者、ローカルスタッフ、現地メディアなどのモニタリングが含まれる。換言すれば、国内調査や現地調査、国内作業や現地作業、定期的なモニタリングを行いながら状況の変化に合わせてプロジェクトを改訂していくことになる（JICA 2020：13-14）。

最後に、JICAが実際に国・地域レベルのPNAを作成するうえで重視するのが、不安定要因例を構成する構造的要因、引き金要因、継続要因である。それぞれを端的に説明すると「構造的要因」は紛争を引き起こす所与の条件、「引き金要因」は紛争に突入する直接の契機となるような事件、「継続要因」は、紛争が長期化する原因となるものである。ただ、同ハンドブックでも指摘するように、紛争は複雑な背景要因が存在し、容易に3つの要因に分類ができないのも事実である。そのため、同ハンドブックは包括的に不安定要因を分析することを促している（JICA 2020：7）。

また、JICAと同様に他の援助機関なども紛争要因分析を行っている。例えば、EU は構造的要因、引き金要因、継続要因で分類し、国際 NGO のインターナショナル・アラートは根本的要因と引き金要因に分類している。ドイツの援助機関であるドイツ技術協力公社（GTZ）は横軸に構造的要因と継続要因、縦軸に政治的・経済的・社会的要因、安全保障／治安、外部要因を対応させて分析している。イギリスの国際開発省（DfID）では、横軸に構造分析とアクターの動向分析を置き、縦軸に安全保障／治安、政治、経済、社会を対応させる表を作成して、紛争の背景・現状分析を行っている。

事例――PNA 分析を利用した 2006 年の東ティモール騒擾事件

JICA の国・地域レベル PNA の不安定要因例（JICA 2020：別添 2）と他の援助機関の紛争要因分析を参考にして、横軸に構造的要因、引き金要因、継続要因、縦軸に政治的要因と社会経済的要因を対応させることで、筆者が長年調査してきた東ティモール紛争分析を行ってみる。東ティモールは 2002 年 5 月に独立を果たし（現地では 1975 年 11 月に一度、独立宣言を行っているので、「主権回復の日」と呼ばれる）、191 番目の国連加盟国になった。しかし、06 年 4 月頃から騒乱が再発し、15 万人規模の国内避難民が流出した。06 年の騒擾事件を対象に紛争分析をすると、表 8-4 のようになる[42]。

日本は東ティモールの独立前後から自衛隊を送り、JICA を通じた積極的な復興・開発支援を行い、同国の平和構築・国家建設に寄与した。筆者が代表理事を務めた NPO 法人も紛争後の平和構築支援として紛争寡婦に対する生計向上プロジェクトを展開した。東ティモールは平和構築の成功事例と考えられていた。しかしながら、長年独立運動に関与してきたフレテリンが 2001 年の制憲議会選挙で多数の議席を獲得し、その後の国家建設で一党支配体制への予兆が見えた時点で、独立運動に関わってきた他のアクターから危険視されることになる。特に、政治指導者間の対立や、国民の 99％が信者のカトリック教会との対立が政治的要因をつくりだす一方で、

表 8-4　東ティモールの 2006 年紛争要因分析

	構造的要因	引き金要因	継続要因
政治的要因	・フレテリン（政党）の一党支配体制と指導者に対する不満 ・独立後の国政選挙の実施 ・安全保障と治安組織の不十分な教育 ・国際社会の関心とプレゼンスの低下	・国防軍内の出身別（東西地域間）待遇の格差 ・除隊させられた兵士の処分問題 ・国連（UNOTIL）の撤退と治安維持機能の欠如	・独立指導者間の政治的権力闘争 ・国民の圧倒的なカトリック教会への支持と信仰 ・豪州との領海問題
社会経済的要因	・国民の所得格差 ・都市と農村の社会サービスの格差 ・急増する若年人口と若者の雇用保障 ・元兵士に対する年金等の保障	・独立に貢献した元民族解放戦線兵士の雇用問題と社会保障 ・若い世代の失業率の高さ	・主要産業の欠如 ・石油と天然ガス収入の将来的な枯渇問題 ・石油基金と財政管理

出典：JICA の PNA や他援助機関の紛争分析を利用して筆者作成。

独立以前からの構造的および継続的要因も重なった。

他方で、社会経済的要因では、目立った産業もなく、オーストラリアを挟んだティモール海での石油・天然ガスのロイヤリティに国家予算のほとんどが依存していた。学生含む若い世代の雇用確保も難しく、平和構築で喫緊の課題となる元兵士への待遇問題も顕在化する。いかに教育を保障し、国民全体の生活向上を改善していくのかが構造的・継続的問題となる。これら不安定要因の縮小・排除がJICA における平和促進への寄与と考えられる。なお、筆者の NPO 法人のプロジェクトもその一環だった。ただ、プロジェクトが全国に行き渡らないことを考えると、紛争予防配慮の観点から不安定要因を助長していないかと絶えずプロジェクトの PDCA（Plan, Do, Check, Action）サイクルが求められるだろう。

結局、騒擾事件の引き金要因は、国防軍内の出身地域による待遇格差の問題と、それに異議を申し立てた国軍兵士の除隊、さらには平和構築段階を終えたと判断した国連や国際社会のプレゼンスの低下という政治的要因、さらに独立に貢献したはずの元兵士への冷遇、増大する若者世代の失業率の高さという社会経済的要因によって引き起こされた。特に構造的・継続的要因が不安定要因を引き起こしていることに鑑みて、援助を通じた安定化を図ることが求められる。

第9章　平和構築のオルタナティブをめざして

1. 平和構築に向けた市民社会・NGOの役割

市民社会の定義はさまざまであるが、ここではジーン・L・コーヘン（Jean L. Cohen）がいう「経済と国家から区別された社会的相互作用の領域、特に共同と公共によって構成されている」領域として考えて議論したい[43]（コーヘン 2001:46）。具体的には、NGO、NPO（非営利組織）、さまざまな目的を持った市民活動組織、労働組合、協同組合、宗教団体、職業団体、学術団体などが含まれている。私たちはこれら市民社会組織（CSO）を通じて社会参加をする場合が多い。

すでに本書でみてきたように現代社会の紛争が国家（政府）間よりもむしろ国家対非国家、あるいは複数の非国家アクター間で起きている点に注目する必要がある。つまり紛争が複雑化しており、さまざまなエスニック集団間の対立関係に依拠した紛争も起きているのだ。そうすると多様な領域で活動するCSOが注目されることになる。他方、CSO活動に参加する市民1人ひとりの役割は多岐にわたる。私たちはCSOを通じてさまざまな活動を行うことで、多層的（あるいは重層的）なアイデンティティを共有することになる。したがって、私たちは1人の国民であると同時に、他国の人々と共有可能なエスニシティで結ばれる場合も多いことになる。

例えば、民族、宗教、言語、文化を共有するなど、エスニシティの観点からは明らかに国境を超えたつながりを持つことになる。その意味で、私たちは1つの国民国家に属する一方で、国境を超えた別の国民国家の国民と同様のエスニシティを共有し、多層的・重層的なアイデンティティを有しているのだ。このような考え方は特に冷戦終結後の1990年代からグローバル化のもとで顕著になってきた現象といえる。

また、多層的・重層的アイデンティティは、インターネットの普及にみられる最近の科学技術のめざましい発展と相俟って、特に西側諸国の市民社会の動きを活発化させている。NGOやCSOの顕著な活動はそれを背景にした動きとして捉えられる。紛争当事者間の平和へのプロセスにおいても、前章でみたレデラックの図8-2が示すように、トップ・レベルのみならず、市民社会の中核をなす中間領域や草の根レベルの指導者の役割が期待される理由がそこにある。

人権、開発、環境などのNGOは、国連創設時から国連経済社会理事会における協議団体としてその専門性を高く評価されてきた一方で、「平和」を扱う国連安全保障理事会は主権国家主導であり、武器は国家安全保障に関わる政府の専権事項としてNGOの役割は限定的だった。しかしながら、すでに述べてきたように、特に冷戦終結以後、市民社会や非政府組織（NGO）関係者からノーベル平和賞受賞者を多数輩出してきたことは、紛争解決や平和構築の主要なアクターが政府だけの時代ではなくなってきたことの証左になるだろう。

NGOが国際的に平和の領域で大きく貢献する契機となったのは、1997年の地雷禁止国際キャンペーン（ICBL）とジョディ・ウィリアムズの受賞だったと思われる。地雷という政府間の専権事項とされてきた武器の禁止や除去にNGOが果たした役割が評価されたからである。21世紀に入ってからの主な受賞者・団体を挙げてみると、2008年インドネシアのアチェ紛争解決への仲介を果たしたマルッティ・アハティサーリ（フィンランド元首相であるがNGOクライシス・マネジメント・イニシアティブ：CMI代表）、11年リベリアのエレン・ジョンソン・サーリーフとリーマ・ボウィー、同時受賞者のイエメンのタワックル・カルマンらは紛争解決に向けた女性平和活動家として非暴力活動で内戦状態を終結させたことが評価された[44]。

2015年には「アラブの春」で最初にジャスミン革命として民主化を実現し、現在もその維持に貢献しているチュニジアの国民対話カルテット、17年には核兵器廃絶国際キャンペーン（ICAN）が人類を壊滅的な状況に押しやる核兵器の廃絶に向けた条約締結を主導したことで評価された。18年はコンゴ民主共和国のデニス・ムクウェゲとイラクのナーディヤ・ムラードが戦時性暴力の終結に対する努力を評価されて受賞している。これらの受賞者や団体は、市民社会やNGOが国際平和を促すアクターとして無視し得ない存在となっていることを示している。

NGOは、人権侵害の観点から人間の尊厳を奪う対人地雷の禁止条約を実現したICBLと同様の戦略で2008年12月のクラスター爆弾禁止条約の採択を主導した。ICBLはカナダ政府をはじめ、アメリカ退役軍人協会などの市民社会やNGOを巻き込んだオタワ・プロセスで条約の実現を図った。同様の戦略を通じてノルウェーのオスロ・プロセスでクラスター爆弾の使用、製造、保有ならびに移動の禁止に対する呼びかけに応じた約200のNGO連合が主導するなかで条約制定に至ったのである。

このようなNGO主導の条約制定に向けた戦略はICANの「核兵器のない世界」運動（核兵器禁止条約）にも反映された。国際政治や安全保障の観点からではなく核兵器が「人間の健康を破壊し、社会や環境に甚大な被害をもたらす」という人道的観点から国際世論を喚起したのである。唯一の被爆国である日本からも被爆者自身が原爆のもたらした残酷さや悲惨さを伝える語り部となり、またオーストラリアや非核兵器地帯の諸国の後押しを得ることで条約の実現につなげた。2017年7月に国連加盟国の122カ国・地域で採択され、20年10月の中米ホンジュラスの批准手続きをもって条約発効に必要な50カ国に達した。21年1月22日に条約は効力を持つことになった。50カ国批准に向けた国際NGOの平和に向けた努力が実ったと

表 9-1　核兵器禁止条約を批准した 50 カ国・地域（2020 年 10 月 24 日現在）

アンティグア・バーブーダ、オーストラリア、バングラデシュ、ベリーズ、ボリアビア、ボツワナ、クック諸島、コスタリカ、キューバ、トミニカ、エクアドル、エルサルバドル、フィジー、ガンビア、ガイアナ、バチカン、ホンジュラス、アイスラド、ジャマイカ、カザフスタン、キリバス、ラオス、レソト、マレーシア、モルディブ、マルタ、メキシコ、ナミビア、ナウル、ニュージーランド、ニカラグア、ナイジェリア、ニウエ、パラオ、パレスチナ、パナマ、パラグアイ、セントクリストファー・ネビス、セントルシア、セントビンセント・グレナディーン、サモア、サンマリノ、南アフリカ共和国、タイ、トリニダード・トバゴ、ツバル、ウルグアイ、バヌアツ、ベネズエラ、ベトナム
5大州別の批准国・地域数：アフリカ6、米州21、アジア8、欧州5、オセアニア10

＊クック諸島とニウエは条約に調印していないが、加入書を国連に寄託しており、批准国と同様の法的効果を有する。
出典：「国際平和拠点ひろしま」（https://hiroshimaforpeace.com/ ）［2020 年 12 月 4 日閲覧］

いえるだろう[45]。

なお、NPT（核拡散防止条約）加盟の核保有国は、国連常任理事国のアメリカ、ロシア、イギリス、フランス、中国であり、NPT 非加盟国の核保有国はインド、パキスタン、イスラエル、北朝鮮となっている。核を保有する NPT 加盟国はすでに見てきたように主要な通常兵器輸出国であり、核保有の NPT 非加盟国は紛争を抱えているか、地政学的に複雑な位置に属している。

その一方で、核兵器禁止条約を批准した 50 カ国は中南米諸国や南太平洋諸国の島嶼国がほとんどである。また、これらの批准国の多くは非核兵器地帯（NWFZ）に属している。現在 NWFZ では5つの条約が締結されている。すなわち、ラテンアメリカおよびカリブ核兵器禁止条約（トラテロルコ条約）、南太平洋非核地帯条約（ラロトンガ条約）、東南アジア非核兵器地帯（バンコク条約）、アフリカ非核兵器地帯（ペリンダバ条約）、中央アジア非核地帯条約である。モンゴルの非核兵器地帯宣言も国連総会決議で認められている（United Nations: Office for Disarmament Affairs [Nuclear-Weapon-Free Zones]）。

NWFZ は 1975 年の国連総会決議（3472B）で「国連総会によっ

て認められ、任意の国の集団が、その主権を自由に行使し、条約に基づいて設立した地帯。それによって、(a) 地帯の境界設定の手続きを含め、その地帯を対象とする核兵器の完全な不存在に関する規定が定められている。(b) その規定から生じる義務の遵守を保証するために、検証および管理の国際システムが創設される」（国連広報センター訳）と非核兵器地帯の国際的な存在が担保されている。とはいえ、核兵器禁止条約が2017年7月に122カ国で採択されてから50カ国の批准を得るのに3年以上を要したことになる。その背景には援助との引き換えや核の傘に依存する安全保障の問題からNPT加盟5大国からの圧力があったことは想像に難くない。今回、この圧力を国際NGOの突破力で打破したことの意義は大きいと思われる。

2. ハイブリッド（折衷的）平和構築論

マイケル・ドイル（Michael Doyle）やブルース・マーティン・ラセット（Bruce Martin Russet）らによって、民主主義国家同士は戦争をしないという統計に基づく民主的平和論が、1980年代から90年代に盛んに議論された。もちろん、自由民主主義制度の定義の曖昧さや、民主化移行期の政治社会の不安定がむしろ戦争を引き起こしやすいなどとの批判もあった。しかしながら、紛争後の国家建設において政治制度における民主主義と経済制度における自由主義市場経済は、自由民主主義国家から援助を得るうえでの重要な条件だったことは間違いないだろう。

換言すれば、紛争後の平和構築とその後続く国家建設の支援には西欧を淵源とする自由民主主義国家という政治制度に関するモデルの存在を前提にしている。しかし、このモデルを強引に押しつけたことで陥穽にはまることにもなった。なぜアメリカが2001年にテロ予防戦争としてアルカイーダを匿ったとするタリバーンを圧倒的な武力で制圧し、勝利宣言をあげたはずのアフガニスタンでタリバーンは復活を遂げたのか。20年3月現在トランプ政権の「駆け込み外交」によってアメリカ軍や国際治安部隊（ISAF）撤退後のアフガン政府とタリバーンとの和平協議が進められているが、先行きは不透明な様相を呈している。

また、アメリカのジョージ・W・ブッシュ大統領は、国連の査察にも非協力的であり、大量破壊兵器保有（WMD）の隠蔽の可能性があるとして、サダム・フセイン政権を2003年3月に攻撃し、わずか42日あまりで制圧した。国連安保理の合意がないままに実施されたイラク戦争後の状況は、大量の失業などを生み、政治社会的に安定するどころかむしろ権力の政治的空白地域を生み、そこにイラクとシリアに跨るイスラム過激集団イスラム国（ISIL／ISIS）の台頭を許す結果になった。

端的に言えば、西欧型の自由民主主義の土壌、価値観や文化を元来共有していない地域への自由民主主義の拙速な導入は政治の安定をもたらすどころか、むしろ政治社会の混乱を引き起こす結果になったのである。イバン・イリッチ（Ivan Illich）がいう開発におけるサブシステンスの剥奪、つまり「民衆が自分たちに特有の文化を維持していくのに必要な最低限の物質的・精神的基礎」を喪失させてしまう脅威を現地社会に敷いたからにほかならない（イリッチ 1982：15）。

あるいはローランド・パリスが紛争後国家の平和構築支援では「自由化を導入する前にまずは制度化の定着をはかるべき（Instituionalization Before Liberalization）」との考え方を提起した背景にも同様の問題意識があった（Paris 2005：7）。イリッチもパリスも西欧型の自由民主主義国家モデルの押しつけが当該国の有する価値観や文化的資源を破壊し、政治社会の混乱を引き起こすことにつながったと考えている。結果的に、民衆の大きな反発を呼び起こし、新たな脅威となって襲ってくることを予見したものと思われる。

そこで、当該の現地社会（ローカル）の価値観と西欧型の自由民主主義の価値観を折衷するようにして、紛争後の平和構築支援のあり方が議論されるようになった。オリバー・リッチモンド（Oiver Richmond）は2011年に*A Post-Liberal Peace*を上梓した。リッチモンドは、紛争後の平和構築、国家建設、近代化や開発環境において現地社会への対応のあり方が問われるようになったと述べる。現地社会で進める平和構築には当該地域の慣習を持つ地域共同体を念頭に、近代化にともなう現地社会に及ぼす作用を注視する一方で、平和構築を進めるうえで現地の土壌を形成する階層、不平等、新世襲制、ジェンダーや社会経済的問題を含めた長期にわたる変化に関する議論も行うべきだと述べる（Richmond 2011：3）。

リッチモンドはポスト自由主義的な平和として、「現地社会（ローカル）と自由主義の折衷的（local-liberal hybrid）」な平和構築の登場を促す。現地社会に自由主義的規範を押しつけることではなく、現地社会と広い意味で自由主義との間の融合をめざし、それぞれの文脈で両者の新たな折衷を促すべきだと訴える。ポスト自由主義的平和の提言で興味深いことは、両者が互いに拒絶するのではなく、自由主義と現地社会の互助や再統一を促していることである。換言すれば、「現地社会と自由主義の折衷的」な平和構築は基本的に異なった政治組織と社会との衝突および交流の結果として生まれていくのだと主張する（Richmond 2011：18-19）。

なお、リッチモンドは2016年の著書で平和形成（Peace Formation）の考え方を提示する。つまり、平和形成のプロセスにおける平和構築や紛争解決では開発、慣行、宗教、文化、社会、地域政治や政府をめぐる固有の環境、あるいは現地社会のアクターが平和プロセスや持続可能な平和活動を定着させる方法を見出すことだと定義する。そこで、平和構築者、紛争解決・転換の専門家、開発専門家、地域社会指導者、市民社会組織（CSO）、現地の代表者というような「現地社会の平和（local peace）」の創造者が、自由主義的な平和構築や新自由主義的な国家建設・開発の実施を外部当局者の決定に委ねないことを明確化したのだという（Richimond 2016：34-35）。

また、平和形成は、地域の圧制や衝突に対応する現地の生存能力に期待する。それらは協会、連合、文化組織、ディアスポラ、地域貿易機構、NGO、宗教組織、村落協議会、平和協議会、起業家組織、女性組織、政党、労働組合、青年組織、人権団体、教育機関など多様な社会的、同質的、慣習的、親族間のネットワークに依拠するという（Richimond 2016：37）。さらに、平和形成は一連の歴史社会的な変化の文脈で政治、法律、経済、社会の領域で現地社会との触媒に期待し、実際広い段階で開始することになる。それは現地社会と国家・地域・国際社会との相互作用を通じて維持され、現地社会の知識、能力、関心を反映したものになるという（Richimond 2016：57）。

ただ「ハイブリッド（折衷的）平和構築論」は国際社会と現地社会の相互作用を重視する一方で、グローバル化を背景に両者を区別することが難しくなっている。紛争後の社会統合の難しさの一端として紛争期に外国に逃れたディアスポラの帰国がある。ディアスポラは亡命期にほとんどが西側諸国に滞在し、自由主義的価値観を共有している。このような異文化交流に基づく相互作用は結果的に「折衷」の様相を呈している（上杉 2017：64）。

とはいえ、外部者には見えない現地社会の歴史、文化、慣習、価値観などに基づくニーズをいかに平和構築に反映させていくのかは、本節冒頭でみたような政治社会の混乱要因と深く関わっている。すなわち、平和構築の支援者たる国際社会の価値観や制度とどのような組み合わせを選択するのか。自由主義と現地社会の価値観の「折衷」をどのように国際社会が進めていくのかである。前述したようにパリスは制度化を前提に自由主義の導入を訴え、他方でリッチモンドは自由主義的価値観そのものが当該国のそれとは必ずしも一致しないがゆえの政治社会の混乱を指摘する。

一つの理論的枠組みとして第８章で論じたジョン・ポール・レデ

ラックの3階層ピラミッドにおける中間層指導者の役割も指摘される（上杉 2017：61）。上層であるトップリーダーと下層である草の根指導者の架橋的役割として、中間層指導者が西欧社会と現地社会の価値観の「折衷」を模索するのである。開発論ではすでにオーナーシップとパートナーシップの関係が有効であると論じられている。西欧社会は現地社会のニーズを重視したオーナーシップの尊重を前提にパートナーシップで支援を行うのである。

ロジャー・マクギンティなどの先行研究から「ハイブリッドな平和」の実現に向けた課題を3つに整理した田中（坂部）有佳子によると、第1に平和が何によって脅かされ、その対処に誰の参加が必要で、現地社会の「誰」が平和構築の担い手として該当するのか。

第2に、どのような平和を創るのか。雛形のない状況下で現地社会、あるいは外部アクターとの間でどのようなコンセンサスを醸成するのか。

第3に、現地社会が脆弱である場合に外部アクターはどのような役割を担うのか。外部アクターとしては、治安部隊の派遣や人道支援を行う介入者、対象国との対等な関係に基づくメンター、対象国政府や人間関係などの多様な側面での調停者が含まれるという（田中 2017：64-65）。

「折衷的（ハイブリッド）平和構築論」は自由民主主義の有効性を否定しないものの、現地固有の価値観を尊重するべきだと訴える。他方で、自由民主主義の根幹的価値である人権をすべての国に導入することを是とする。ここで問われるのは紛争後国家の移行期の政治社会状況である。本書ではすでに「人権」の概念を検討してきたが、西欧社会がもっとも重視する自由権が最優先の人権とは限らない。この議論は「アジア的価値観」や「アジア的民主主義」という名のもとで長年語られてきたものである。要するに、社会権や生存権を第一義的課題として、政治社会の安定を議論することも是ではないか。それが「ポスト自由主義的平和構築論」の核心的テーマではないかと考える。

3. 国際NGOの選挙監視活動がめざす民主化支援[46]

本節では筆者が1990年代から取り組んできた国際NGOの選挙監視活動からアジアの平和構築を考えてみたい。国際選挙監視活動の目的は民主化の実現である。それは、「自由で公正な（Free and Fair）」選挙を担保することで民主主義を維持・実現することにある。また、当該国家を含め、直接的・間接的に地域や世界の人権を擁護することにもなる。そのために選挙実施に必要な法案から選挙システムの策定、有権者登録、選挙教育、集計システムなど、選挙実施にともなうソフトからハードに至るあらゆる選挙支援が実施される。しかしその一方で、これらの支援は圧倒的に欧米の選挙シンクタンクや選挙NGO、さらには西欧諸国や援助機関からの財政支援で提供される。

IFES

欧米系選挙コンサルタントのIFES（The International Foundation for Election Systems）は、1987年にクリフトン・ホワイト（F. Clifton White）が、当時のニカラグアのダニエル・オルテガ（Daniel Ortega）革命政権やフィリピンのフェルディナンド・マルコス（Ferdinand Marcos）開発独裁体制などの革命・反米政権や権威主義国家に対抗したアメリカ大統領ロナルド・レーガン（Ronald Reagan）政権の対外政策に呼応して設立した。

創設者ホワイトは世界的な民主化の流れを確信して、「弾丸ではなく投票を（Ballots, not Bullets）」をスローガンに選挙を通じた穏健な民主化の実現を支援した。それゆえ、IFESは民主主義を促進する技術的支援と専門的助言を供与し、特に政府の民主的な構造に不可欠な汚職の緩和、人権擁護、透明性の増大を前提に「自治と説明責任の枠組み」を支援する。

具体的には、4つの自治の分類として、法的枠組みのための制度的自治、職員の公平性や専門性を高めるための職員自治、職務執行のための財政的自治、政策決定遂行のための機能的制度、政策実行を担保する行動的自治を重視する。また、3つの説明責任の分類として、法律的に独立機関として機能するための法的説明責任、公的利害を有する独立機関としての公的説明責任、独立機関として規範文化に貢献する国内に対する説明責任となっている[47]。

具体的なIFESの取り組みとして、表1-2ではリベラルな民主主義を擁し、フリーダム・ハウスの自由度では部分的自由に属するインドネシアの選挙支援をみてみる。インドネシアは1999年にスハルトの長期独裁政権崩壊後初の総選挙を実施した。IFESは98年9月にインドネシアにおける選挙前技術評価を行い、この結果を踏まえて、99年の国会・州・地域選挙に向けた早期の選挙準備の必要性を訴えた。また同時に、インドネシアの民主化プロセスを全面的に支援する国際社会の手助けも行っている。

また、IFESはUNDP（国連開発計画）とインドネシア政府間の選挙運営に関する覚書に基づき、次の8分野で支援を決定した（*IFES: Asia Report*, Oct. 1999）。

(1) 選挙運営では、選挙法作成における技術的助言を行い、選挙プロセスにおける説明責任と透明性を高める国際的な基準を重視した。
(2) 法律の刷新では、選挙法の徹底的な検討を実施し、一連の選挙プロセスに関する技術的分析を行った。
(3) 世論調査では、有権者の動向に関する調査を実施するのに相応しい政府系および民間組織と協力した。それは同国における最初の世論調査であり、1999年4月にその調査結果を公表した。同年10月には選挙後の世論調査結果を公表した。

⑷ 有権者教育では、選挙プロセスに関する情報を広範囲に普及させようするKPU（総選挙委員会）とPPI（中央選挙委員会）のガバナンスの強化に努めた。

⑸ 選挙業務従事者への訓練では、選挙プロセスの新しい状況を重視して、選挙業務従事者への徹底的な訓練の必要性の観点からKPUを支援した。KPUの計画を支援するために、選挙業務従事者の選挙日に取り組むべき仕事の範囲を指示した訓練手引書とビデオ教材を製作した。

⑹ 統合本部とメディアセンターの設立を行った。選挙に関する全ての公式情報源の中心的機能を果たす選挙運営の統合本部とメディアセンターの設立に関してKPUを支援し、NGOを含む公認された国内外の選挙監視組織からの公式の監視報告を受け、情報を提供した。

⑺ アジアの選挙当局者協会（AAEA）の監視調整を行った。IFESはAAEAの暫定事務局として、当日の選挙を監視する監視団の調整を行った。

⑻ 選挙前評価の実施も行っている。1999年6月選挙に向けた有権者教育キャンペーンと選挙運営に関する長所・短所の評価を実施した。その評価結果はインドネシア政府を支援し続ける援助国・機関が将来の必要な支援計画に役立つことを想定して行った。

NAMFREL

フィリピンのNAMFREL（自由選挙のための全国市民運動）といえば、1986年の大統領選挙で選挙管理委員会（COMELEC）の集計がマルコス大統領の当選を発表したのに対して、多数のボランティアを擁して独自の並行開票を行い、対立候補コラソン・アキノの勝利を発表したことで知られている。NAMFRELの開票結果はマルコス側の大規模な選挙不正を暴き、結局マルコス長期独裁政権を崩壊させた。いわゆる２月革命（エドサ通りに民衆が集結し、行動したことからエドサ革命ともいわれる）、あるいは民衆（市民社会）がマルコスを倒した原動力になったということでピープル・パワー革命と呼ばれた。

表1-2・1-3で示したように、フィリピンもインドネシアと同程度に民主主義や人権が担保されている国と位置づけられる。フィリピンの民主化を実現させたNAMFRELは1984年に設立された組織である。すでに頭字語が同じNAMFREL（自由選挙のための国民運動）が51年にほぼ同じ目的で設立されていた。エルピディオ・キリノ政権下の選挙不正にアメリカ政府の支援も得て、実業家グループを中心に自由で、開かれた公正な選挙をめざして設立されたものだった（Kerkvliet 1996：154-155）。マルコス開発独裁体制を崩壊させたフィリピン２月革命は、別名ピープル・パワー革命といわれたように市民社会／NGOの役割が大きかった。この革命の余波はスハルト開発独裁体制下にあった隣国インドネシアの市民社会／NGOに大きな影響を及ぼした。

アンダース・ウーリン（Anders Uhlin）は自著『インドネシアと民主化の「第三の波」』のなかで、「フィリピンの存在はインドネシアの民主主義活動家が連携する隣国としてだけではなく、腐敗したマルコス独裁体制とさらに腐敗したスハルト独裁体制が類似していたことにおいても重要」であり、それゆえ「マルコス支配の終焉を導いた民衆と非暴力的な性格の蜂起はインドネシアの民主化運動に大きな勇気を与えた」と述べている（Uhlin 1997：187）。

インドネシアの民主化運動活動家は「フィリピンで可能になった革命は必ずインドネシアでも可能である」と確認し合った。特に1989年ジャカルタにキャンパスを構える学生活動家らによって設立されたPIJAR（改革のための情報と活動ネットワーク）に参加した学生活動家たちは、従来民衆と接点を持っていなかったインドネシアの民主化運動に、キャンパス外の農民、労働者、下層の都市住民など潜在的に大きな社会勢力となる階層との連帯のあり方をフィリピンから学んだという（Uhlin 1997：193）。

このようにフィリピン2月革命はインドネシアの市民社会／NGOに大きな影響を与えたと同時に、並行開票で民衆動員を成功させた選挙監視組織NAMFRELの存在は、インドネシアにおける選挙監視NGOの設立を促すものだった。NAMFRELは1999年6月のインドネシア総選挙で活躍したKIPP（選挙監視のための独立委員会）をはじめ、カンボジアのCOMFREL（自由選挙のための委員会）などアジアの選挙監視NGOの設立に大きな影響を及ぼしたのである。

NAMFRELを支えているのは実業界のほかに、カトリック教会、学生ボランティア、他の市民社会組織である。筆者が選挙監視活動をしたマニラ首都圏マリキナ・シティNAMFRELでは、有権者が登録をした行政区で投票所が指定されることになっていた。主に小学校が投票センターとして利用され、有権者規模に応じて学校ごとに投票所（precinct）が設定されていた。

これらの投票センターには、投票所の数に応じてNAMFRELボランティアが投票センター調整員として配置された。彼（女）らは原則的に1つの投票所に2名配置され、投票用紙として記入された6枚つづりの用紙の最後の6枚目を回収する役割を担う。これら回収された用紙が並行開票に利用される。他方、選管には各投票所の責任者を委嘱された者（多くは年配の小学校教員）が警察官に警護されながら各地区の選管事務所に開票結果を直接持参する。これを選挙管理委員会（COMELEC）が利用する。

その他、選挙に関連する各種の役割を担う部門が設置されている。マリキナ・シティのNAMFREL支部はカトリック教会の施設を利用し、議長も神父が務めていた。各バランガイ調整員もカトリック関係者が担当し、ボランティアも信者が中心だった。開票結果の集計作業は、この地区にあるコンピュータ学校の学生が中心になって行っていた。支部事務所には専従スタッフと非常勤ボランティアが開票作業に従事していたが、例えば学生ボランティアの場合は相当数の希望者から選抜されていた。NAMFREL のボランティアに参加することがいかに社会的名誉であるかを物語っていた。

最後に、OQC（The Operation Quick Count）に触れておきたい。OQC の目的は、①各投票所レベルでの投票、開票、さらに結果の確定に市民が積極的に監視を行い、不正な選挙を防ぐこと、②各投票所の開票結果用紙に基づき、正確で迅速な非公式結果を公表し、州・市や地区レベルでの選挙結果の操作を防ぐこと、③選挙結果の満足度を高めることである（NAMFREL2001 年選挙マニュアル）。

NAMFREL は KIPP に次のような影響を与えた。第 1 に、NAMFREL はフィリピン社会に根づいているカトリック教会のネットワークを利用したが、KIPP もインドネシアのイスラムのモスク・ネットワークを生かそうと考えた（Uhlin 1997：191）。第 2 に、NAMFREL は選挙監視に実働的な学生ボランティアを相当数動員したが、KIPP も同様に大多数の学生ボランティアを動員した。第 3 に、メディアを多用して市民社会や国際社会に情報を提供し、不正選挙の防波堤を築いた点などがあげられよう。

ANFREL

インドネシアの市民社会／NGO が自国の民主化運動において大きく影響を受けたのは、フィリピンとタイの動きだった。タイで軍と市民が衝突した 1992 年 5 月の流血事件はインドネシア週刊誌『テンポ』（*Tempo*）によって報道され、インドネシアの民主化運動活動家に大きな衝撃を与えた。92 年 5 月流血事件は、タイで育った新中間層と都市および農村の低所得層との連帯による反軍市民運動が背景にあった。

1970 年代後半から 80 年代初頭にインドネシアの中間層が中心に設立した NGO は開発、労働、女性、環境問題を扱っていたが、概してスハルト体制に対しては穏健な姿勢をとっていた。このようなNGOの姿勢に学生活動家は距離をおいていた。また学生活動家はキャンパス間の連携はあったものの、他の階層との連帯を組まなかった。

フィリピンのピープル・パワー革命同様にタイの1992年5月流血事件も、このようなインドネシアの民主化への閉塞状況を打破するうえで大きな示唆を与えた。つまり、民主化の実現には、階層間の連帯が何よりも重要であることを示したのだ。それらの流れのなかで、新世代の民主化および人権NGOが80年代後半から90年代初期に設立された。これらの新世代のNGOは民主化運動に向けて以下の5項目の共通目標を設定した（Uhlin 1997：145）。5項目の④で「自由で公正な」総選挙の要求が含まれていた。

①人権のための要求
②人権、基本的な民主主義の原則と価値は普遍的だという見解
③法の支配の要求と国家の専制的な体質の制限
④自由で公正な総選挙の要求
⑤軍の政治権力の縮小

ANFREL（Asian Network for Free Election）はアジア地域の民主化支援、特に選挙監視と人権擁護を目的に、1997年11月にバンコクで設立された。同組織の母体は「地域の人権擁護組織間の協働と協力を通してアジア地域の人権の擁護と促進に努める」ことを目的に、91年12月マニラで結成されたFORUM-ASIA（人権と開発のためのアジアフォーラム）である。現在の本部はマニラからバンコクに移っている。

設立当初のANFRELはタイとフィリピンの市民社会／NGOが両国の独裁体制を打破した経験を踏まえて、独裁体制下にあるミャンマー、インドネシア、カンボジア、マレーシアの人権保障と民主

化の実現に向けて設立された。しかしながら、第2章第2節で現在の東南アジア地域の事情を分析・考察してきたように、各国の政治体制は大きく変動している。インドネシアにおけるNGOの役割は前述した通りであるが、ミャンマーの民主化支援に向けての支援活動をANFRELも民政移管前から行っていた。

このような設立背景をもとに、ANFREL傘下の各国ローカルNGOが取り組む民主化実現の努力に対して補完的役割を果たしてきた。なお、ANFRELウェブサイトでは組織として5項目の目的が記載されている[48]。

a）アジアにおける民主化に向けたマルチステークホルダーのイニシアティブを支援し、特に政治・選挙制度とプロセス、市民参加、市民的・政治的自由と権利の強化に焦点を当てている。
b）自由で公正な選挙に関する選挙プロセスが国際基準や地域基準、ベスト・プラクティスに合致しているかどうかを評価するための国際的な選挙監視の取り組みに関与する。
c）アジア全域で、選挙監視や議会監視などの民主的説明責任に献身的に取り組む市民社会や市民グループの発展と強化を支援する。
d）アジア全域の選挙関係者が知識と経験を交換し、相互に学び、より大きな協力、協働やパートナーシップのための相乗効果を開発するためのプラットフォームを提供する。
e）選挙監視、有権者教育、市民参加、その他民主主義の強化をめざす活動を国内で主導する傘下組織を支援する。

ANFRELの選挙支援活動は1998年のカンボジア選挙を皮切りに、最近では新型コロナウイルスでの活動制限のもと、軍政から民政移管した2019年3月のタイ総選挙、同年11月のスリランカ大統領選挙、20年11月の民政移管後2回目のミャンマー連邦選挙監視活動に従事するなど、その支援活動はほぼアジア全域に跨っている[49]。ANFRELの選挙監視活動の特徴は、選挙実施国と他アジア地域NGOとのネットワーク型選挙監視活動である。換言すれば、ANFRELを傘（オーガナイザー）に、ANFREL事務局と選挙実施国のNGOが柄（コーディネーター）となり、他アジア地域の民主化・人権NGOが選挙監視活動に参加するアンブレラ型の選挙監視活動を展開することである。

アジアの選挙監視活動において、1999年6月のインドネシア総選挙は、スハルト独裁体制崩壊後の民主化を実現するうえできわめて重要な選挙だった。それゆえ、この選挙に対する国際社会の支援は大きかった。特に、東南アジア地域の選挙監視NGOのネットワークによる支援は、スハルト体制下の厳しい政治環境のなかでも着実に行われてきた。日本からも当時ANFREL傘下NGOとしてInter Bandが監視団に参加し、筆者は当時まだインドネシア占領下で27番目の州だった東ティモールに派遣された[50]。

ローレンス・ホワイトヘッド（Laurence Whitehead）はある国の民主化が他国に影響を及ぼす3つの要因を指摘した（Whitehead 1996 : 5-8）。第1は「感染（contagion）」と呼ばれるもので、特定のアクターが民主化に及ぼす影響よりも、マス・メディアの情報が影響を及ぼしているという。すでに述べたように、ピープル・パワー革命もタイ流血事件も『テンポ』誌が「感染源」の役割を担った。それを通じた情報でインドネシアの学生、市民社会／NGOは民主化への大きな流れを築くことができた。

第2は「支配（control）」である。外国が民主化を課す点で、支配のアクターは国家になるという。特にアメリカの積極的な民主化支援が指摘されている。インドネシアにおいても、民主化を主導したNGOのKIPP（独立選挙監視委員会）に対する直接の支援が、USAID（アメリカ国際開発庁）、TAF（アジア財団）、NDI（アメリカ民主党国際研究所)、IFESなどアメリカ政府系援助機関および政府系財団から行われていたことを述べた。アメリカに限らずヨーロッパ、日本、オーストラリアなどの政府系援助機関からの支援も明確に「人権」「民主化」が主要な支援目的になっていたことはいうまでもない。

第3は「合意(consent)」である。民主化支援のアクターは国家ばかりではなく、地域機構、内外の市民社会/NGOも含めた多様なアクターの合意で成立すると指摘している。インドネシアの場合も国際NGOのネットワークが民主化に及ぼした影響の大きさをみれば理解できるだろう。ネットワーク型選挙監視組織ANFRELの存在はまさに民主化実現への「合意」にほかならなかった。

ホワイトヘッドが指摘した民主化伝播の三要素は、ASEANの基本原則である「内政不干渉」「コンセンサス方式」などを考えると、ASEAN政府間の民主化に対する影響力は厚い壁に阻まれたものの、市民社会/NGO間のトランスナショナルな民主化実現のパフォーマンスは着実に進展していた。また欧米諸国・NGOの民主化支援がそれを支えていたことが理解できる。換言すれば、かつて開発独裁体制下のインドネシアにおいて、国際社会からの人的・技術的・金銭的支援を得た選挙監視NGOがトランスナショナルなネットワークを背景に民主化の実現に向け連帯していったのだ。2021年2月のミャンマーの軍事クーデターで、国際NGOの新たな戦略が試されているのではないか。

アメリカをはじめとする西欧の各種機関はリベラル・デモクラシーの普遍化をめざしていることはいうまでもない。筆者が数多く参加してきたANFRELなどのアジアでの選挙監視活動の経験に鑑みると、総論では当然ながら自由民主主義の推進だった。しかし他方で、各論では当該国の事情を踏まえた柔軟な対応もとられた[51]。次章ではこの点を深めた欧米の外発的な平和構築ではないアジアからの内発的な平和構築のアプローチをみてみたい。

第10章　内発的な平和構築論

1.「内発的発展論」からの問いかけ

前章第2節における「ハイブリッドな平和構築」は西側西欧社会と現地社会との価値観の調和や融合を重視した問題提起だった。それは前述したように、開発支援におけるパートナーシップとオーナーシップとの協力関係に合致する。また援助国である先進国と被援助国である途上国との対等な関係の追求だった。端的に言えば、先進国と途上国の発展段階は共通しているわけではない。そのため、先進国主導の拙速な開発援助にはさまざまな障害を引き起こすことが予想される。

本節では先進国主導の開発支援が外発的な発展論であるのに対して、途上国側から発信する開発のあり方を内発的発展論と呼ぶ。鶴見和子は「西欧をモデルとする近代化論（以下近代化または近代化論と呼ぶ）がもたらす様々な弊害を癒し、あるいは予防するための社会変化の過程」を内発的発展論と呼び、「内発的発展の担い手は、その目ざす価値および規範を明確に指示する」と述べる。近代化論はアメリカなど先発先進国の経験に基づく「価値中立性」を標榜する一般理論であるのに対して、内発的発展論は後発高度工業化社会、非同盟諸国、発展途上国のそれぞれが異なる地域ごとの社会変化の事例に基づく抽象度の低い理論化から出発していると両者の違いを指摘する（鶴見 1989：43）。

鶴見は内発的発展の定義をするにあたって、発展はすべての人間のパーソナリティの可能性の実現をめざし、貧困と失業を解消し、所得分配と教育機会の均等を実現することだと述べたイギリスの開発経済学者ダドレー・シアズ（Dudley Seers）の議論を紹介する。シアズは1974年の新国際経済秩序（NIEO）樹立を背景に自助（自力更生）に基づく経済面での自給率の向上とともに、文化面での外国依存の縮小を訴え、近代化モデルの対置概念として内発的発展論が展開されていったことを主張した（鶴見1989：44-45）。

他方で、第三世界からは、ブラジルの社会学者フェルナンド・H・カルドゾ（Fermando H. Cardoso）のいう周辺国自身の自助努力を前提とした「従属的発展」、またタイのスラック・シワラク（Sulak Sivaraksa）が唱えた「仏法社会主義」、つまり国民総生産の増大や無限の人間欲を前提とする不公正な発展とは異なり、仏教やガンディーの非暴力主義を基本に据え、貧困層に寄与するような発展論が提起された。鶴見は同様の理念を掲げるスリランカのサルボダヤ運動にも触れている（鶴見1989：44-45）。

そして、発展を包括的に捉えた国際的な報告書が1975年のスウェーデンのダグ・ハマーショルド財団が出した『もう一つの発展』だったと述べる。鶴見は同報告書を「地域が発展の単位であることを明確にした点、地域の自然生態系との調和を強調し、地域の文化遺産（伝統）に基づく人々の創造性を重んじた点」を評価している。そのうえで、ヨハン・ガルトゥングがいう、基本的な人間生活の必要が満たされていない低発展と必要以上の物質的な消費の増大によって精神に支障をきたす過剰発展の病的な性格に注目する。要するに、高エネルギー消費型の工業社会の生活から低エネルギー消費型の「もう一つの暮らしの流儀」への転換をガルトゥングが警告したことに注目したのである（鶴見1989：48-49）。

これらの発展に関する議論を踏まえて、鶴見らの研究グループは内発的発展が「目標において人類共通であり、目標達成への経路と、その目標を実現するであろう社会モデルについては、多様性に富む社会変化の過程である」と考えた。そこで、まず「共通目標とは、地球上のすべての人々および集団が、衣・食・住・医療の基本的必要を充足し、それぞれの個人の人間としての可能性を十分に発現できる条件を創り出すことである。それは、現在の国内および国際間の格差を生み出す構造を、人々が協力して変革することを意味する」ことを指す。

次に、目標達成への経路や実現、あるべき社会モデルに関しては「それぞれの地域の人々および集団が、固有の自然生態系に適合し、文化遺産（伝統）に基づいて、外来の知識・技術・制度などに照合しつつ、自律的に創出」可能であり、内発的発展は地球規模で展開し、多系的発展が受け入れられ、さまざまな発展段階にある国々が先発後発の発展に限らずに相互に尊重可能になっていくだろうと指摘する（鶴見 1989：49-50）。

このように、内発的発展論はすでに本書で言及してきた1960年代における南北問題を背景にしてきた西欧主導型の開発・発展（近代化論）に対する「もう一つの発展」論として70年代以降に活発に議論されるようになってきた。4大公害訴訟裁判に代表される地域など、日本においても過度に産業化が集中した地域を中心に公害が起きた。公害は内発的発展論の目標達成の枠組みだった地域の人々や集団を傷つけ、かつ固有の自然生態系の破壊を背景にした負の発展形態だったのだ。

日本は鶴見がいう非西欧世界にあって、短期間で近代化を遂げた後発高度工業化社会だった。大野健一は著書『途上国ニッポンの歩み』で、社会学者の富永健一の『日本の近代化と社会変動』を取り上げ、「非西洋の近代化とは西洋が過去に歩んだ道をそのままたどることではない」と述べる（大野 2005：19）。つまり、日本の近代化が自らの伝統的文化と西洋文化を比較し、後者の優れている点だけを選び、自らの伝統文化と掛け合わせ、両者の対立をうまく処理することで再創造を行っているのだという社会学的視点から日本の近代化の成功を分析した。

このような視点は近代化が経済的側面だけではなく、実は政治・社会・文化と絡み単純に技術や産業の構造をまねるだけではすまないことを物語っている。つまり、経済の先行と非経済の跛行が生じ、社会全体にさまざまな軋轢を引き起こすことになり、その結果近代化を歪んだものにしたのだ（大野 2005：19-20）。公害はその究極的な経済と非経済の歪みの結果引き起こされたものだといえるだろう。

また、経済学者の尾高煌之助がいう、明治の工業化（近代化）が在来の技術と輸入された西洋技術の適切な組み合わせの「混成型（hybrid）の技術移転」で発展を遂げたという指摘も参考になる。具体的に尾高は大阪時計製造株式会社（1889 年設立）の事例を取り上げ、同社が当初掛時計製造をしていたがアメリカからの技師・職工の迎え入れとアメリカ式生産設備一式を導入することで懐中時計の生産を始めたのだという。同社のみならず「明治期の時計生産は、『生のまま』の技術ではなく、多少なりとも日本式に翻案された」、いわゆる混成型（hybrid）の技術移転の成果だったと述べている（大野 2005：65-68; 尾高 1990：328-329）。

日本は明治時代に多くの「お雇い外国人」を雇用して、近代化に必要な鉄道・電信・製糸などの洋式官営事業を成功させた。つまり、これら外国人の雇用が多い事業では「相手国の工場組織をそっくり移植」したような技術移転を図り、外国人雇用が少ない事業は設計計画のコンサルタント技師や特定の職場の熟練工が対象だったという。官営事業における外国人雇用は 1875 年頃から抑制されていく一方で、逆に国内技術者が質量ともに相当程度の水準までに達したことが外国技術移転を容易にさせた最大の理由だったという。70 年代に始まった日本の高等技術教育によって、100 年を要した西欧の経験を省略できたことが急速な近代化の要因になったのだ（内田 1990：265-282）。

このように、日本の明治期の近代化プロセスを振り返ってみると、西欧からの技術移転を積極的に進める一方で、実は徳川時代以来の伝統的技術が生き続け、西欧の技術がそのまま日本の技術に代替されたのではなく、むしろ両者は共存していたのである（内田 1990：292）。つまり、日本の近代化はまさに在来産業と西欧技術のハイブリッド（混成）型だったのだ。日本は非西欧世界でいち早く近代化を達成し、それが結果的に第二次世界大戦で経済も社会も壊滅的な状況を迎えることにつながってしまった。しかしながら、西欧の産業へキャッチアップをめざして、戦後の復興でいち早く、メインバンク、終身雇用、年功序列、行政指導などの日本型システムを築き上げ、アメリカに次ぐ世界第二位の経済大国までに復活したのだ。

大野は著書でかつて途上国だった日本にとって、成熟した工業国になった時点で依然として日本型システムを維持し、石油危機と通貨フロートで構造改革を先延ばしにしたことが日本経済の停滞を引き起こしていくことになったという専門家の意見を紹介する。しかし、日本が培ってきた「長期志向、チームスピリット、効率と公正のバンランス感覚といった特質」はむしろ日本の長所として放棄すべきではなく、アメリカ型の自由経済を無批判に導入するべきではなく、一線を画すべきだという意見も同時に紹介している（大野 2005：第 12，13 章）。

マレーシアのマハティール首相はイギリスの植民地時代を長く経験し、西洋がアジア人より優位にあり、白人以外の人種は劣勢だと思っていたという。しかし、1961 年に訪日し、欧州が 200 年以上をかけて発展したのに対して、日本は多くの問題や苦難を乗り越えて、急速な経済発展を遂げたことを高く評価した。81 年に首相に就任するが、マレーシア人は日本型システムを手本に学ぶべきだという「ルック・イースト政策（東方政策）」を導入したことはよく知られている。それは日本の長所を高く評価したからだった[52]。しかしながら、15 年ぶりに首相に返り咲いたインタビューでは日本から現在学ぶべきことはその失敗であり、同じ過ちを犯さないことだと述べている。日本の失敗とは何か。敗戦後の日本は平和を希求し、攻撃的な戦争を放棄することを憲法に書き込んだ。しかし、いまやアメリカの攻撃的な外交政策に引き摺り込まれているとマハティールは警鐘を鳴らす。「米国の利益だけを考えていたら、アジアの平和は実現できない」「日本はアジアの問題にきちんと役割を果たすべき」だと訴えている（『朝日新聞』2019年12月5日）。

いまいちど、ハイブリッドな平和構築を実践してきた第二次世界大戦後の日本を振り返り、内発的発展論がめざす「西欧をモデルとする近代化論がもたらすさまざまな弊害を癒し、あるいは予防するための社会変化の過程」を蘇生する役割を日本が果たすことは可能ではないだろうか。ポスト・コロナを見据えて日本の存在感を高める重要な時期に差しかかっていると思われる。

2. アジアの市民社会と「民主主義」の再考

筆者は2012年6月発行の日本国際政治学会編『国際政治』（第169号）「市民社会からみたアジア」の編集責任者として同名の序論を書いた。現在も依然として同様の問題意識を持ち続けているので、本節では同序論を前提に20年現在の状況変化に応じて若干加筆修正をして転載することにする。まず本特集における「市民社会」の定義であるが、第9章で取り上げたジーン・コーヘンの議論をさらに精緻化して、市民が国家や市場から自律し、主権者意識を持って自発的・主体的に国家運営を監視し、異議を唱え、場合によっては政策立案に参画して市民的公共性を実現する社会集団として位置づける。

現代的な市民社会論に大きな影響を与えたユルゲン・ハーバマス（Jürgen Habermas）は『公共性の構造転換』で、「『市民社会』の制度的な核心をなすのは、自由な意思に基づく非国家的・非経済的な結合関係である」と述べ、具体的に「教会、文化的なサークル、学術団体をはじめとして、独立したメディア、スポーツ団体、レクレーション団体、弁論クラブ、市民フォーラム、市民運動」、さらに「同業組合、政党、労働組合、オールタナティブな施設」にまでをも挙げている（ハーバマス 1994：XXXⅧ）。

ハーバマスの「新しい市民社会」論は、1990 年に生起した東欧革命を踏まえて「1990 年新版への序言」として書かれたものである。しかしいうまでもなく、欧州の市民社会論の議論には長い歴史がある。ジョン・ロック（John Locke）の『市民政府論』では「政治社会」と「市民社会」は同一のものである。正当な戦争で捕らえられた奴隷は政治社会の一員としては認められず、ゆえに古代アテネでは市民社会とは政治社会＝国家共同体を指していたのだ（ロック 1968）。

その後、市民社会論はアダム・スミスによって「商品交換の発展という経済的認識」（植村 2010：310）が付与される。ゲオルク・ヴィルヘルム・フリードリヒ・ヘーゲル（Georg Wilhelm Friedrich Hegel）は市民社会を「社会的労働と商品交換のための市場経済システム」（田坂 2009：8-9）、つまり「欲望の体系」と捉えることで、政治社会＝市民社会という概念を一変させた。カール・マルクス（Karl Marx）は「『社会の経済的構造』の分析によって、その『生産様式』の歴史的独自性を『資本』の無限の自己増殖という自己運動に即して把握」（植村 2010：146-147）し、市民社会を資本主義社会と同義語として位置づけた。

ハーバマスはマルクス主義が想定する資本主義的な市場体系の市民社会を「古い市民社会」と指摘し、自らの主張する「新しい市民社会」と区別した（田坂 2009：9）。つまり、フェミニズムの登場、権力への批判、文化的動員を図る大衆行動の変化などの新しい社会運動を踏まえ、市民的公共性に立脚した「新しい市民社会」論を提起したのだ（篠原 2004：104-105）。

市民社会に市場を含むのかどうかは意見が割れる。ハーバマスが市民社会を「市民的公共性」と認識したのに対して、マイケル・ウォルツアー（Michael Walzer）は「多種多様な利害やイデオロギーが共存する広汎な『複数性の領域』」として市民社会を捉え、「市場を含む人々の非強制的な行為や関係のネットワークをすべて包摂する『種々の枠組みからなる枠組み[53]』」として理解する（千葉 2001：3）。

また、現代の市民社会論に影響を与えたロバート・パットナム（Robert Putnam）の社会関係資本（Social Capital）についても言及しておきたい。市民の日常生活に関わるさまざまな団体がアメリカの民主主義の健全化とその維持に大きな貢献をしていることを指摘したアレクシ・ド・トクヴィル（Alexis De Tocqueville）の『アメリカの民主政治』はよく知られているが、パットナムはそれが1970年代から衰退していると指摘し、「孤独なボーリング」という論文でアメリカの社会関係資本の衰退を検証した（パットナム 2006）。

パットナムがいう社会関係資本とは、「個人間のつながり、すなわち社会的ネットワーク、およびそこから生じる互酬性と信頼性の規範」を指す。彼は社会関係資本を「メンバーの選択や必要性によって、内向きの指向を持ち、排他的なアイデンティティと等質な集団を強化していく」橋渡し型／包含型と、「民族ごとの友愛組織や、教会を基盤とした女性読書会、洒落たカントリークラブ」「さまざまな社会的亀裂をまたいで人々を包含するネットワーク」「公民権運動、青年組織、世界宗教主義の宗教組織など」の結束型／排他的型の２種類に分類する（パットナム 2006：19）。

パットナムは社会関係資本の衰退は市民社会の政治参加への意欲の減退だと考える。すでにハーバマスが述べているように、市民的公共性を担う市民社会の衰退は、単にアメリカだけではなく、アジアの社会にも共通する危機といえるだろう。

また、メアリー・カルドー（Mary Kaldor）は「グローバル市民社会」について論じた。自著『グローバル市民社会論』のなかで、グローバル社会運動、国際NGO（INGO）、トランスナショナル・アドボカシー・ネットワーク、市民社会組織、グローバル公共政策ネットワークをグローバル政治における非国家アクターのグローバル市民社会として捉える（カルドー 2007：115）。

カルドーは現代における市民社会を構成するアクターはすべてグローバル市民社会の一部だと考えており、「国家的」なものと「グローバルな」アクターの区別には意味がないと主張し、「グローバル市民社会は個人が参入でき、自らの声を政策決定者に届かせることができる公式の組織や非公式の組織のすべてを含んでいる」と述べる（カルドー 2007）。

さて、それではアジアの市民社会はどうか。田坂敏雄は東アジアの市民社会を論じるにあたって、ハーバマスの「新しい市民社会」を3つの視点から分析する。第1はすでに述べたように、資本主義的な市場体系との決別を意味すること、第2に政府や市場から自律し、非国家的・非経済的な共同決定および連帯的結合、つまり「アソシエーションが創出する市民的公共圏を通じて国家と市場に影響を与えよう」とすること、第3にフィリピンにおける住民組織（PO）などが示す通り、東アジアでは自治的住民組織も市民社会組織として捉えることの重要性を指摘している（田坂 2009：9-11）。

田坂は、「政治社会領域の縮小と市民社会領域の拡大という西欧的なガバナンス論」の東南アジア地域への適用に危惧の念を抱く。依然として同地域では政府の役割が重要であり、そのためにはコミュニティ型組織＝地域別代表＝地縁組織、つまりは地縁関係に根ざす「自治会や町内会のほかに、地元や地域に根付いた水牛組合や無農薬・有機農産物直販グループ」などの自治的住民組織も市民社会組織として一定の役割を果たしていると指摘する（田坂 2009：19）。

アジア地域における市民社会の役割として、まずは実働型 NGO などの市民社会が取り組む開発の問題、別言すれば「欠乏からの自由」に対する役割である。アドボカシー型 NGO などが取り組む民主化、人権の問題、「恐怖からの自由」も含まれるだろう。概して国家主権が強いアジア諸国では、開発の問題は国家が担当する一方で、民主化や人権の問題は「アジア的価値」や「アジア的民主主義」論を隠れ蓑とすることで、むしろ開発と連動する「生存権」の問題にすり替えてきた。

したがって、民主化の主要な担い手とされる中間層は、経済発展を担保する権威主義体制（開発独裁）の下では経済的な豊かさを享受する保守層側に属し、民主化の担い手ではなくむしろ体制維持側にまわるか、政治的問題には無関心を装うことが指摘されてきた[54]。

強い国家は市民社会の動きに不寛容であり、反政府組織として弾圧の対象としてきた。概して国家優位型諸国の市民社会に対しては、抑圧（治安問題として対処）、体制への取り込み（国家コーポラティズム）、承認の3つの方向が考えられる。また、社会優位のアジア諸国では数多くのNGOや伝統的な社会団体が存在する。しかし、岩崎育夫は市民社会の活動が機能するためには、国家が一定の機能を果たすことが必要であり、それがないと国家の任務を代替する「ミニ権力体」に転化する危険性があると指摘し、市民社会の陥穽の一つになっていると述べる（岩崎 1998：29-31）。

岩崎は、国家優位のアジア諸国における市民社会の展望シナリオとして3つを挙げている。第1のシナリオは、国家優位は開発の過渡的形態であり、経済発展の段階に応じて市民社会が形成される、つまり韓国や台湾のように、権威主義体制は経済発展とともに溶解する。第2のシナリオは、強い国家はアジア固有の政治文化であって、経済成長しても国家優位の状況には変化がない。第3のシナリオは、「強い国家」を求める政府と「強い社会」を求める市民社会の政治競争が激化するというものである（岩崎 1998：31-32）。

2020年現在のアジアの市民社会の動きをみると、第1のシナリオが順調に進んでいるとはいえない。例えば、もっとも「強い国家」の範疇に入る中国やベトナムは市民社会側の人権擁護を訴える声を完全には無視しえない状況にあるが、すでに述べてきたように「非伝統的安全保障」に包摂されている。

第2のシナリオについては、習近平主席などの強権的指導者の登場や経済成長を背景にむしろ国家優位が強まっているのではないか。しかし他方で、これまで経済発展の恩恵を受けた保守的な中間層が民主化に消極的だったマレーシアやシンガポールで一党支配体制（マレーシアにおいては与党国民戦線［BN］、シンガポールにおいては人民行動党［PAP］）に変化を求める選挙結果が出ている。

マレーシアに関しては第2章で詳しく述べたが、2018年5月の総選挙で独立以来の一党支配体制が崩れた。このことからも、国家主権の強いアジア地域においては本書の主題である「民主主義」の走錨が起きていることがうかがえる。確かに市民社会・NGOのグローバル・ネットワークが強化されたことで、民主化や人権重視を前提に「自由」の名を冠した「民主主義」への曳航状況が一進一退ではあるが東南アジア地域でも垣間見える。

第3のシナリオについては、民政移管を果たしたものの、依然として軍事政権下のプラユット元陸軍司令官がそのまま首相を務めるなど、タイ国民の不満は根深い。すでに第2章で言及したように、国軍を背景に強権的な現政権と民主主義の強化を求めて、憲法改正を訴える国民との間で衝突が激化している。今回の民主化運動の主体は10代を含む若い世代であり、タブー視されてきた王室改革も含めている。

また、同様に民政移管されたはずのミャンマーでは、2020年11月の連邦選挙結果に不満な国軍が連邦選挙後の初の国会開催を直前にクーデターを起こした。タイ同様に、国民の反発は大きく、ソーシャルメディアを通じた大規模な抗議デモや医療従事者の「不服従運動」など国軍との対立が深刻化している。まさに、両国では軍が主導する「強い国家」と、市民社会が主導する「強い社会」の政治競争が激化している。

3. 民主化実現に連帯するアジアの市民社会

アジア諸国の政治体制は多様であり、「自由民主主義」に対する距離感も各国によって異なる。しかし、第9章第3節でみてきたように市民社会にとって民主化は共通のアジェンダであり、各国のNGOを含む市民社会は、国境を超えた連帯とネットワークを通じた「自由民主主義」の実現に向けて戦略を練っている。

(1) ASEANで連帯する市民社会の動向

ASEANは1967年の設立以来、主権国家である「トラック1」を中心に加盟諸国間の内政不干渉原則、コンセンサス方式、玉虫色の解決（アジア的了解事項）、いわゆる「ASEAN Way」を基本に据えてきた（黒柳2005：第1章）。しかし、80年代に入り「トラック2」チャンネルの役割が大きくなる。トラック2は、「政府としてはコミットしがたい新たな課題や公的に議論するには微妙な争点に対処する際に、知識人・専門家・有識者と総称される学界・財界の人材に、『私人の資格で参画する政府関係者』を加えた協議や対話などの迂回経路をすることで、柔軟なあるいは斬新な対応を可能」とさせる役割を担っている（黒柳2005：264-265）。

このように「ASEAN Way」は政府主導であるが、「トラック2」と呼ばれるASEANのシンクタンク（ASEAN-ISIS[55]）が準政府組織として域内のさまざまな政策課題に向けて共同歩調をとっている[56]。それに対して、市民社会がASEANの政策決定に大きな役割を果たす転機となるのが、2003年12月の第9回ASEAN首脳会議で採択された第二バリ宣言（BC II）だった。同宣言文書で政治・安全保障協力、経済協力、社会・文化協力の3本柱からなるASEAN共同体の創設が謳われた。

特に3本目の柱である社会・文化協力では「トラック3」を動員

することが定着していく。BC Ⅱは、2004年の第10回ASEAN首脳会議で出された「ビエンチャン行動綱領」（VIP）へと発展する。

これら3本柱が、安全保障、経済、社会文化の各共同体に発展し、「ASEAN共同体（AC）」への道筋が見えてくる。05年12月の第11回ASEAN首脳会議でASEAN憲章の必要性が提起され、07年1月の第12回ASEAN首脳会議ではACの設立が、当初の20年から15年に早められた。そして、同年11月の第13回首脳会議で各国首脳によるASEAN憲章への署名が行われた。なお、安全保障共同体は政治安全保障共同体へと変更される（佐藤2011）。

このようなトラック1とトラック2によるASEAN共同体への動きに並行して、ASEAN市民社会会合（ASEAN Civil Society Conference: ACSC）が開催される[57]。第1回会合が2005年12月にクアラルンプールで、第2回会合が06年12月にセブ島で、第3回会合が07年11月にシンガポールで開催された。ACSCの設立は、ASEAN憲章の制定プロセスと軌を一にする。特に、第3回目のACSCは第13回ASEAN首脳会議で制定されるASEAN憲章に市民社会側の意向を反映させるうえで重要だった。第3回ACSCはASEAN諸国を中心に市民社会や労働組合から約200人が集まって開催された[58]。

ASEAN憲章制定に対する各国首脳への9項目の要望書は、シンガポール宣言として出されている。人権、社会経済的公正、参加型民主主義、法の支配、開発への権利、環境に配慮した持続的開発、文化的多様性、ジェンダー的平等、平和・人々の安全・紛争の平和的転換というような普遍的な価値・原則・規範を反映とした各要望が出されている。なかには政治安全保障、経済、社会文化以外に、ASEANの環境保全を重視する環境共同体（ASEAN Environment Community）設立の提案なども含まれている。

第7項目の「われわれはASEANに対して、透明性、説明責任、人民の参加、社会的対話の有効なメカニズムの創設を促す」とあり、国家主権・国家優位のASEAN諸国も多いなかで、市民社会の影響力の増大を示唆するものだった。

(2) ミャンマー民主化へ向けた市民社会の取り組み

2011年3月にミャンマーは民政移管がされたものの、軍事政権による人権侵害問題は、西欧各国からの強い批判が続いていた。しかし、内政不干渉とコンセンサス方式を原則とするASEAN首脳会議においては対ミャンマー政策で意見が分かれ、有効な解決策を出せない難しい問題として扱われてきた[59]（黒柳 2011：26-28）。他方、影響力を増大させてきた市民社会は、欧米市民社会とのネットワークを背景にミャンマーの人権問題に対して強い批判の姿勢を示してきた。

前項で触れた第3回ACSCでは、2007年9月にミャンマーで起きた僧侶・市民の民主化デモに対する軍事政権の弾圧事件を糾弾する目的で、主要なNGOが共同で「ASEAN憲章の署名には血に染まった手は不要（No Bloody Hand on an ASEAN Charter）」だという声明文を出している[60]。要するに国民を弾圧し、流血事件を引き起こしたミャンマーの軍事政権および国家平和発展評議会（SPDC）が憲章に署名することをなぜ受け入れるのかというASEAN域内外の市民社会の憤りを表現したものである[61]。

民主化を弾圧し、人権侵害を繰り返す軍事政権に対するASEAN首脳会議参加国、特にシンガポール、タイ、マレーシア、さらには当時国連安保理事会議長国だったインドネシアは、ミャンマー軍事政権に影響力を有する中国とインドに対して同政権に対する強い非難と断固たる措置を取るように促している。また、ASEAN憲章が「民衆のための憲章（People's Charter）」であることを求め、各国は憲章に署名する前にそれぞれの国民に住民投票を実施することを要求している。

このようなミャンマー軍事政権に対する市民社会の包囲網は、ASEAN域内の市民社会はもとより国連の人権特別調査委員会および国連事務総長特使イブラヒム・ガンバリの派遣、欧州連合（EU）・欧米諸国・国際NGOの連携拡大、ASEAN首脳会議での議論など、ミャンマー軍事政権に対する民主化移行への圧力を加えていった。そのような地道な戦略が、軟禁状態にあったアウンサンスーチーや政治犯の釈放という劇的な政治的変革を生み出した一因になったことは明らかだろう。

また、2012年4月1日に地方議会選挙を含む国会補欠選挙が実施され、全45議席中、スーチー率いる国民民主連盟（NLD）が自らの当選を含む計43議席を獲得し、与党・連邦団結発展党（USDP）は上院でわずか1議席、もう1議席は少数民族シャン族が獲得した。12年の補欠選挙はミャンマーの民主化にとっては大きな一歩であり、それが15年総選挙におけるNLDの圧勝とつながっていくことになる。振り返ると10年に実施された上下両院の連邦選挙において、与党は25%の軍人枠を含めて下院では440議席中369議席、上院で185議席を獲得しており、12年の補欠選挙がNLDにとっての民主化への転機だった。

それではNLDが不参加だった2010年の連邦選挙において、市民社会はどのような戦略を取ったのであろうか。第9章第3節で詳しく述べたANFRELは早い段階からミャンマーの民主化実現のための選挙支援活動を実施し、10年の連邦議会選挙に関しても支援を行っている。ANFRELスタッフを同国に入国させる一方で、タイ・ミャンマー国境地域の都市でANFREL支援による「自由で公正な選挙」を視野に入れた有権者教育や選挙手続きなどのキャパシティ・ビルディングを実施している[62]。残念ながら10年連邦議会選挙では、ANFRELを含む一切の選挙監視団の受け入れは拒否された。

しかしながら、ANFRELの支援のもとに、1989年5月設立の「ビルマの民主主義のためのタイ行動委員会（Thai Action Committee for

Democracy in Burma: TACDB)」が極秘裡に選挙監視活動を実施し、『ビルマ――将軍たちの選挙』というミャンマーの選挙監視活動報告を出版している[63]。TACDBはミャンマー国内と亡命及び難民ミャンマー人との連携で国際社会に対してアドボカシー活動を展開している。特に報告書でも謝辞が述べられているようにANFRELの役割は大きく、報告書にはANFRELによる同国の選挙改革に対する勧告が掲載されている[64]（Whelan 2011：92-98）。

ミャンマー政府は、2012年補欠選挙直前に各国政府から2名の選挙監視員と限られたジャーナリストの招聘を行った。市民社会への招聘はなかったものの、当時のANFREL上級代表ハナウンタスク・ソムスリは2名のスタッフとともに入国し、選挙監視活動を行うための信認証（accreditation card）発行を求めて6日間同国に滞在した。しかし、結局当局からの明確な回答も得られずにバンコクに帰国している。

ソムスリは「事実上の国外退去」として理解している旨を記者会見で述べている[65]。しかし他方で、ANFRELは同補欠選挙を「自由で公正な選挙」の観点からは評価を留保したものの、同国の民主化と政治改革への大きな一歩として評価をしている。また、制限をつけながらも政府派遣の国際監視員を受け入れたことに対しても一定の進歩として評価した[66]。

ソムスリが指摘するように、確かにミャンマー政府が選挙監視員の招聘を求めた国々は、ミャンマーの経済発展を促すうえで重要な国々であり、アメリカを中心に経済制裁の解除を求める意図が背景にあったことは事実だろう[67]。しかしその一方で、2012年補欠選挙では、ANFRELのキャパシティ・ビルディングで支援したNGOスタッフが15年に実施した連邦選挙におけるシミュレーションとなったことは疑いない事実だった。その点で、ANFRELの民主化促進のためのアドボカシー戦略は功を奏していたといえるだろう[68]。

今回のクーデターを受けてミャンマーの民主化支援に従事してき

た市民社会の落胆は想像に難くない。ANFREL もアジアを中心とする 47 団体からなる共同声明を出し、国軍による軍事クーデターを批判するとともに、拘束されたすべての政治家の即時解放と民政への復帰を求めている。また、国軍が訴える有権者の不正登録問題は 2008 年憲法の下、正当な法的手続きに基づき法廷で解決するように訴えている[69]。

4. 平和構築を支援する NGO のネットワーク

チャドウィック・F・アルジャー（Chadwick F. Alger）は、平和構築に関与する NGO が努力すべき 4 点をあげている。第 1 に、平和構築に関与する NGO はグローバルなネットワークを創設および動員する必要があること、第 2 に、NGO の戦略に対する支援を獲得し、そのネットワークを組織化するうえで、公的関与を増大しなければならないこと、第 3 に、このような平和構築 NGO は国際政府間組織（IGO）の活動に関与したり、影響を与える努力をしたりしなければならないこと、第 4 に、NGO はさまざまな形態での現場活動に深く関与できるようにならなければならないことの 4 点である（Alger 2005：5-14）。

第一次世界大戦や第二次世界大戦という未曽有の世界大戦を経験し、現在においても戦争・紛争で犠牲になっている無辜の人々をいかに救済するのか。紛争解決は、政治指導者をはじめとする国家間・紛争当事者間のトップリーダーだけがなしえる領域なのか。すでに再三述べてきたように、もはや市民社会・NGO が果たす役割の大きさを否定することはできないだろう。リベリアの長期独裁政権と内戦状態を終結させるのに貢献した女性平和活動家リーマ・ボウィーは非暴力的組織「平和のための女性リベリア大衆行動」を組織して独裁政権に対峙し、長年の紛争を終結させると同時に、平和を定着させた女性大統領エレン・サーリーフとともに 2011 年度ノーベル平和賞を受賞者したことはすでに述べた。

特にボウィーらが紛争終結に向けて、キリスト教とイスラム教の宗教の壁を乗り越える女性たちだけで行った抵抗運動は、受賞理由にあるように「平和構築活動に女性が安全かつ全面的に非暴力を掲げて民主的な政府を築きあげた点」で、市民社会が平和構築に関与できることを明確に示した[70]。サナム・N・アンダーリニ（Sanam N. Anderlini）は、女性は攻撃されやすく、受身で自らを護れず、物理的・性的虐待による犠牲を避けがたく、保護を必要とすると指摘している。しかしその一方で、女性は万能薬であり過激主義に対する内部の防壁になりうると主張する。つまり女性が政治参加をすることで、例えば宗教的交戦状態のような最悪の状況を解決することができると述べている（Anderlini 2007：2）。

東南アジア地域の紛争解決や平和構築において、女性組織・NGOの役割も重要だった。インドネシアの支配下でレジスタンス運動を展開していた東ティモールでは、東ティモール女性連絡協議会（FOKUPERS）や反暴力のための女性擁護団体（ETAWAVE）が設立され、インドネシア軍や警察などによる女性に対する人権侵害を告発した（山田 2008：342-347）。アチェ紛争においても妻や母としてインドネシア軍や警察からの脅迫や暴行に屈しない女性組織や女性のネットワークがアチェ和平を推進し、それが和平を実現する一因になったという[71]。

概して東南アジア地域では平和構築活動において、市民社会は積極的に活動している。例えば、カマルザマン・アスカンダール（Kamarulzaman Askandar）はアチェ和平に至る市民社会の役割、アユサー・ユイ・アブバカール（Ayesah Uy Abubakar）はフィリピンのミンダナオ和平に向けた市民社会の取り組みを詳しく論じている（Askandar 2007：Ch. 12, 13）。ただし一点確認しておきたいことは、紛争解決や平和構築における市民社会・NGOの取り組みはすでに述べてきたように、紛争当事国・地域からの内発的な動きとグローバルなネットワークを背景にした外発的な動きとの協同作業で実現していることである。アルジャーが指摘したように、グローバル・ネットワークを創設し、和平実現に向けて国際社会を動員することが重要になる。ともに人権擁護という人類益を求める人々との連帯が強力な和平を推進させるのである。

2005年8月のアチェ和平においても、スイスのNGOであるアンリー・デュナン・センター（HDC）や、フィンランドのNGOであるクライシス・マネジメント・イニシアティブ（CMI）が外部アクターとして仲介役を担った。ミンダナオ紛争においては、イスラム諸国会議機構（OIC：2011年よりイスラム協力機構へ改称）加盟国のマレーシア、ブルネイ、インドネシア、開発を担当する日本を含む政府間の国際監視団と現地NGOとの共同の監視団が連帯することによって和平の実現を推進した（落合2019参照）。

以上のように、アジア地域における紛争解決や平和構築という従来国際機関や国家が主導してきた分野でも現地の市民社会・NGOが現状を国際社会に発信し、それに呼応するようにグローバル市民社会や国際NGOが共同歩調やネットワークを結びながら内側と外側の両方から当該政府や紛争当事者間に圧力を加えて解決を図る戦略を取っている。したがって、特に市民社会・NGOが平和構築分野でこのようなグローバル・ネットワークの戦略を採ることが確実に功を奏しはじめている。市民社会・NGOが平和な社会づくりを牽引している証左といえるだろう。

第11章 新しい国際社会の協調と秩序の構築に向けた創造

1.「走錨する民主主義」に市民社会は錨を打てるか

多様な政治体制を有し、国家優位の国が多いアジア地域においても、NGOを含む市民社会の活動が活発に展開されている。市民社会が実現しようとする価値はいうまでもなく人権擁護であり、民主主義、法の支配である。つまりは正義が保障される社会の実現である。坂本義和は市民社会を「人間の尊厳と平等な権利との相互承認に立脚する社会関係がつくる公共空間」であり、「それは無時間的な空間ではなく、不断の歴史的形成の過程そのもの」だと指摘する（坂本 1997：43）。

市民社会はいまや国際社会の問題解決に関与するグローバル・ガバナンスの一翼を担っている。しかし他方で、アジア地域における市民社会の現状をみると、日本のような民主主義国家であっても欧米のように直接政策決定に関与する度合いは概して低い[72]。岩崎育夫はアジアとアフリカにおける民主化プロセスを比較し、アジア諸国の民主化は外部要因の影響を受けた内部アクターの活動が中心であり、それに対してアフリカの場合、経済開発の停滞で中間層が育たず、民主化に主導的な役割を果たしたのは援助国や国際機関などの外部アクターの圧力だったと指摘する（岩崎 2009：169）。

アジア地域では経済成長を担保しながら権威主義的な政策を国民に強要してきた国も多い。それはすでに述べてきたように中間層の民主化に対する距離感の問題でもあった。しかしながら、体制に保守的だった中間層の意識は明らかに変容してきている。ミャンマーの軍事政権を民主化の方向に動かした理由として、2011年に席巻した「アラブの春」が独裁的権力者に変化を促したという指摘もある[73]。確かに市場の開放をすでに遂げているアジアの諸国では経済の自由化は大きく進展している。しかし他方で、政治・社会の自由化は政治体制の違いによって進展が大きく異なる。市民社会はその役割を顕在化させることで、政治・社会の自由化を確実に進展させることをめざしているのだ。

カルドーは現代版の市民社会に住むさまざまなアクターはすべてグローバル市民社会の一部であり、民主主義や人道主義を掲げるNGOをネオリベラル版の「飼いならされた」NGOと呼んでいる（カルドー 2007：17）。しかし「飼いならされた」NGOであっても、日常生活が脅かされている状況を改善する人道主義は人間の安全保障の観点からもNGOの重要な役割だろう。

また、開発や救援に従事する西欧の国際NGOが、活動資金の30～90％を国際機関などの助成金に依存している。大多数の南側のNGOは、80～100％外国援助に依存しているという現実である（Reimann 2005：43）。アン・C・ハドック（Ann C. Hudock）は、「市民社会の発展プロセスは、住民の自力向上によって進展する」と述べる一方で、実際は南側のNGOは北側のNGOの援助に依存し、かつコントロール下におかれている現状を指摘する（ハドック 2002）。このような南北NGOの従属関係は西欧型支援のあり方を再考する問題提起を促している。

また、「市民社会」が取り組むべき平等で公正な社会の実現は、地域限定の理念ではなく、グローバルな社会での共通したアジェンダである。そして、活動領域を拡大している市民社会にとって、市民的公共性を求めるグローバル市民社会の協同作業は今後とも続けられなければならないだろう。しかし他方で、例えば「アジア」という地域に特化した場合は、やはり地域の固有の文化や価値観は無視しえないという事実がある[74]。

天児慧は地域研究方法の理論化に言及し、「地域としての個性」に基づく動態的な構造に着目する。「地域的独自性」は多様な要素から構成され、地域固有の「変わりにくさ」はたとえ不変ではないにしても、「容易には変わりにくい意味ある関係性の束」として地域の「基底構造」を形成していると述べる。この「基底構造」が個々の地域固有のリアリティを理解する基盤、あるいは分析枠組みになるのだと「基底構造」分析の重要性を訴えている（天児 2018：11）。

すでに述べてきたように、イバン・イリッチが指摘する開発におけるサブシステンスの重要性、ローランド・パリスが重視する紛争後国家の平和構築における「自由化を導入する前の制度化の定着」など、元来西欧型の民主主義の土壌・価値観・文化を持たない紛争後国家への西欧型自由主義の拙速な導入は、むしろ混乱を引き起こすだけだという考え方が多くの理解を得ている。

アジアの内発的発想と西欧からの外発的発想の相互尊重の協同作業こそが、新たな市民社会の地平を切り開くことになる。市民社会がなすべきことは、国際アリーナでの主要なアクターとして、国家や市場とは対峙、あるいは協調して、国際平和や国際福祉の実現に向けた使命と役割を果たすことだろう。特に「自国第一主義」が蔓延る国際社会の現状に鑑みて、国家間の国際協調主義を再び蘇生させるうえでも、「基層」を形成する人々が人類共通の脅威を乗り越えるために、国境を超えた共有意識が可能な市民社会の使命と役割は想像以上に拡大しているのではないか。

2.「まだらな発展」の克服と新たな「中間層」の構築

筆者は2002年5月に独立を果たした東南アジアの人口110万人の小国である東ティモールの平和構築ならびに国家建設を現在も支援している。同国に最初に入国したのはインドネシア占領下の1999年6月のポスト・スハルト独裁体制後の時期で、インドネシア総選挙での選挙監視活動にあたった。同選挙の2カ月後の同年8

月、殺戮と破壊を引き起こす契機となった事実上の独立を問う住民投票が実施された。筆者はこの住民投票にも選挙監視員として参加し、多くの虐殺・破壊行為を目の当たりにした。

「まだらな発展」という表現を思いついたのは同国での参与観察の結果だった。「開発の同時性」は筆者自身の東南アジア諸国での調査を通じて常々感じてきた実感だった。スリランカのサルボダヤ・シュマラナーダ運動の指導者アリヤラトネは21世紀を迎えるにあたって、これからの開発途上国は先進国が経験した第二次産業を経験しないで第三次産業や情報産業へ展開が可能になることを2000年7月22日のインタビュー番組で答えていた[75]。確かに新興工業国とも異なる開発途上国には重化学工業化を推進する財政基盤も技術もなく、アリヤラトネがいうようにスリランカに適応可能な適正技術を導入することで所得の向上を実現させ、それに見合うような消費を行うことが適切だろう。本書第10章で言及してきた内発的発展が可能な事例といえる。

さて、インドネシア27番目の州として24年間併合されていた東ティモールは約70%といわれるインフラ施設が、1999年住民投票直後に独立反対派(インドネシア残留派)の民兵らに放火・破壊された。例えば、電気・通信ケーブルの配線を支える電信柱や送電線が破壊された。筆者が紛争直後の東ティモールに滞在した時は、もちろん海外との連絡は衛星電話であり、国連暫定統治下になって首都ディリなど一部の都市で携帯電話が使えるようになった。いまでは幹線道路などかなり広い範囲で携帯電話が利用できる。携帯電話会社も3社に増え、顧客獲得にサービスの競争を展開しているほどである。

かつて筆者自身（日本）が経験してきたような固定電話の敷設を事実上飛び越えた通信施設の構築が行われていることがわかる。この現象は何も東ティモールだけではなく、低所得国での携帯電話の普及率が極めて高いことに驚かされる。国際電気通信連合（ITU）の調査を基に試算したデータによると、2016年のアジアの7低所得国の携帯電話の普及率は対人口比で、東ティモール125%、カンボジア124.9%、ネパール111.7%、ミャンマー92.7%、ブータン88.8%、バングラデシュ83.8%、ラオス55.4%となっている。なんと東ティモールやカンボジアの携帯電話普及率は1人1台を超えているのだ。ちなみに、日本は131.8%だった(『日本経済新聞』2018年10月20日)。

紛争後国家の東ティモールがもっとも携帯電話の普及率が高いというのは現地経験を有する筆者にとっては驚きと同時に至極納得できることでもある。筆者が指導教員を務めて大学院を修了した国家行政省職員が書いた修士論文は、モバイルを利用した行政サービスの展開の可能性に関するものだった。ITUの調査結果は、彼の修士論文の内容が決して非現実的ではないことを証明している(ただし、この調査はあくまで単純に対人口比でみた携帯電話の所有数であることは確認しておきたい)。東ティモールの現実をみると、貧富の格差は一段と拡大し、都市部と地方の不均衡な発展、さらには遠隔地でのあらゆる社会サービスへのアクセスの悪さが依然として存在する。

さらに、「まだらな発展」の興味深い事例を挙げてみる。東ティモールの国家建設における教育アクセスの問題である。そこでもっとも深刻な状況として理数科教育の問題が挙げられる。ほとんどの小中高の生徒、さらには大学生に至るまでの理数科目の学力不足が多くの支援者から聞かれる。例えば、日本が同国の独立以来協力を行っている東ティモール国立大学(UNTL)工学部支援がある。日本の大学教員が派遣され、UNTL工学部教員・学生に理工学分野の支援を展開している。

そのなかで、専門家が話題にしたのは東ティモールの学生の学力不足よりも、むしろモチベーションの問題だった。つまり、彼らが提出する論文の多くはインターネットなどからの情報貼り付けであり、盗用・剽窃が横行しているというのだ。地道に理数教育を学ぶ意識が希薄で、必要な情報・データをインターネットからそのまま転用してしまうという学問に対する動機の欠如への嘆きだった。

極論を恐れずいえば、自分自身で計算ができなくても電卓が使える。必要な情報はインターネットから検索できる。理数系知識を地道に学ぶよりもコミュニケーション手段を磨く方に時間をかける。ノーベル賞を受賞するような高度な基礎知識や応用能力を身につけた研究は先進国に任せ、自らはその成果（情報）のみを理解すれば良い。ハードの知識は不要で、あくまでもソフトの利用が可能であれば良いのだ。このような現状は、多くの東ティモール人学生がフェイスブックでつながっていることでも裏づけられる。彼（女）らの世界ではとにかく世界の情報とつながっていることがエリートの証となっているのだ。

前章でみてきた西欧社会や日本の近代化プロセスのような段階的な知識の修得は不要なのだ。アリヤラトネが述べたように、第二次産業を迂回して第三次産業や情報産業をいきなり展開していくことが可能になっている。もちろん、アリヤラトネは内発的発展を重視したコミュニティレベルの産業のあり方を重視する一方で、1990年代から急速に発展するインターネットや携帯電話の普及との相乗効果を考えているのだろう。かつて、アルビン・トフラー（Alvin Toffler）は「脱工業化社会」のなかで情報技術革命が自由と民主主義を拡大させるという「第三の波」を指摘した。

情報化社会の功罪はともかくもインターネットと携帯電話の普及で世界の情報へのアクセスの平等化を促し、情報の真偽を見極めるという問題提起をしているものの、確かに世界の多くの人々へ情報発信が可能になった。しかしながら、問題はその情報通信技術（ICT）へのアクセス格差が国家間のみならず各国内での格差（デジタルディバイド）を引き起こしている点である。すでに第4章第3節で検討してきたエレファントカーブが示したのは、デジタル革命が先進国の中間層の引き上げにつながっておらず、決して所得向上にもつながっていないことだった。これら先進国の中間層が「自国第一主義」を押し上げていることが明らかになった。他方で、新興国の貧困層はもちろん、最貧困国の多くの人々にとってもICTへのアクセスが困難である現実も指摘しておきたい。

「まだらな発展」の解決には、同時代的な開発のICTの享受もあるが、やはりそれぞれの固有の文化や価値観に根ざした開発のオルタナティブが必要なのではないか。ハイブリッドで平和な社会の構築、つまり西欧の自由民主主義と非西欧の固有の価値観を踏まえた折衷的な「民主主義」が重要になる。そして、内発的な発展こそがサブシステンスを重視し、「基底構造」を前提にした国内全体の底上げになるのではないか。そのためには濃淡のある「まだらな発展」ではなく、一部の富裕層にだけ行き渡る富の分配でもない、むしろ「置き去りにされた」中間層の再構築が必要なのでないだろうか。

アリヤラトネのサルボダヤ・シュマラナーダ運動は仏教原理に基づくアジア的な開発のあり方を提案しているが、他方でガンディーの思想を受け継いでいる。ガンディーの「完全独立」とはイギリスからの独立を指したのではなく、「人がみな自分の主人となり、わがままな欲望を抑え、互いに慈しみながら共同で暮らす、穏やかで平和な社会の実現」だった。そのために「草の根の平和な社会を実現する運動に活路を見出そうとした」のだという（竹中 2018：138）。アリヤラトネの運動はガンディーの「完全独立」であり、先進国の外発的な発展に依存するのではなく、アジア的な開発のあり方、開発のオルタナティブを提示したのである。

3.「重心なき平和主義」を超えて

本節の主題はいうまでもなく「誰にとっての平和」を実現するのかという問題意識である。筆者の回答は明確であり、それは「無辜の人々に対する平和」となる。2020年1月20日にジョー・バイデンが第46代アメリカ大統領に就任することになった。筆者が本書を執筆している段階でトランプ大統領は危険な「駆け込み外交」を展開している。特に、中東地域での対イラン包囲網は、アメリカ軍の駐留を認めているサウジアラビア、アラブ首長国連邦(UAE)、バーレーンを中心にアメリカとの武器ビジネスを活発化させている。

従来とっていたイスラエルとパレスチナの「2国家共存」の姿勢を崩し、エルサレムへのアメリカ大使館の移転、パレスチナ難民支援機関(UNRWA)への拠出金の全面停止、ユダヤ人入植地のイスラエル領土への編入、アメリカ仲介によるイスラエルとUAE、バーレーン、スーダン、モロッコとの国交正常化の合意で、「アラブの大義」が崩れ、パレスチナを孤立させる戦略が顕在化している。特に、トランプ大統領の「繁栄への和平」提案は、パレスチナとの協議を欠いた報告書であり、イスラエルの土地と引き換えに、ヨルダン川西岸地区にあるヨルダン渓谷と違法入植地の大部分をイスラエル統治下に置くというものであり、国際人道法違反だと批判されている[76]。

トランプ大統領が豪語する「世紀の取引」によって、パレスチナとイスラエルの問題は中東地域全体を巻き込むいっそう複雑な様相を呈していくだろう。1993年のクリントン政権下でのパレスチナ暫定自治協定(オスロ協定)が破綻したことからも容易に予想できる。表8-1に照らすと、領土をめぐる妥協不能な原則的紛争である一方で、ユダヤ人・ユダヤ教に関わる歴史的・宗教的な心理的紛争でもあり、さらにはパレスチナ人に対する構造的暴力(紛争)も含まれるという、もっとも複雑で解決の糸口を得ることが困難な紛争だといえるだろう。

パレスチナの評議会は2006年を最後に選挙が実施されていない。イスラム原理主義組織ハマスと自治政府主流派のファタハで分裂回避の動きがあると伝えられている。パレスチナ自治区ガザではハマスによるイスラエル兵などに向けた「自爆テロ」が起きている。他方で、イスラエルでは報復を繰り返す暴力の連鎖が起きている。パレスチナ人難民は520万人を超え、イスラエル建国で故郷を追われたパレスチナ人は国際法に基づき帰還の権利がある。19年12月には国際刑事裁判所（ICC）の検察官が被占領パレスチナ地域における戦争犯罪があったと述べ、ICCの確認が取れ次第、捜査の開始を発表したが、他方でトランプ大統領は「パレスチナはイスラエルとアメリカの国や人を相手取って国際司法機関に訴訟を起こしてはならないと主張」し、現在係争中の訴訟の取り下げを要求しているという[77]。

2014年のガザとイスラエルの紛争では、およそ1460人のパレスチナ市民が犠牲になり、イスラエルによる攻撃の多くが戦争犯罪であるとして違法性が問われている[78]。きっかけはイスラエルからの攻撃の最中、自らの命が危険に晒されていたパレスチナ人少女ファラ・ベイカーのツイッターに世界が注視したことだった。彼女はSNSという手段で、「規律と軍事力に劣る国家」がまったく新しい力を発揮する方法を世界に提示したのだ。デイヴィッド・パトリカラコスの著書『140字の戦争——SNSが戦場を変えた』の第1章で取り上げているガザでの取材がたいへん興味深いので、簡潔に紹介しよう。

アメリカの国際政治学者ジョセフ・ナイが「21世紀の戦争は、どの軍隊が勝つかよりもどの物語が勝つかのほうが重要だ」と述べたが、その理由は無味乾燥で合理性に基づくものよりも人々の感情に訴えるナラティブの影響の方が大きいからだという。それを実践したのが、ガザ地区に住む16歳の少女ファラのツイッターだった。イスラエル国防軍の圧倒的な軍事力に対抗する力はネットワークでつながる市民による情報拡散だったのだ。ファラはスマートフォンを唯一の武器として戦場での自らの窮状を訴え続けたのである。

2014年のイスラエル軍によるガザ侵攻と空爆の開始とともに、ファラは「市民ジャーナリスト」として数百万人にメッセージを送る。情報は拡散され、既存の有力メディアも現地の情報源として採用する。軍事力で圧倒的に劣るパレスチナ側から西欧諸国のフォロワーを獲得していくことでイスラエルの非人道的な破壊行為を国際社会全体に知らしめることが可能になった。つまり、ファラの発信で国際世論を動かし、イスラエルのミサイル攻撃を止めさせることができるかもしれない。ファラのツイッターの動機は反イスラエルの声としてではなく、普通の16歳の少女が空爆に晒され「わたしはいつ死んでもおかしくない」という恐怖のナラティブ（物語）を世界に発信したいからだったという。

ファラの願いは決してトランプが進める「世紀の取引」というトップダウンの動機に基づく紛争解決ではない。紛争で日々犠牲を強いられる基層からの平和への訴えなのである。まさに無辜の人々の平和への叫びであるのだ。戦時から日常を回復する人々の願いこそが紛争解決の動機でなくてはならないはずだ。筆者のいう「重心なき平和」とは、本来「平和」とは国境を超えてすべての人々の安全と安心が担保されることである。世界の指導者が話し合うべき重心がそこにあるはずだ。しかしながら、国際社会の現状は分断と無秩序が「自国第一主義」とともに深刻化している。「平和の重心」が明らかにずれてきていることに筆者は深い危惧の念を抱かざるをえないのだ。

端的にいえば、顔の見えない「積極的平和主義」ではなく、個々の顔が浮かぶ「積極的平和」、つまり私たちの周りに存在する「構造的暴力」の解決こそがまず取り組むべき課題であるといえるだろう。

むすびにかえて

2021年4月下旬を過ぎた現在においても、世界の新型コロナウイルス（Covid-19）感染者数は第2波・第3波・第4波を迎え、依然として拡大を続けている。アメリカのジョンズ・ホプキンス大学によると世界の累計感染者数は、すでに1億5000万人を超え、死者数は300万人にも及んでいる。しかも前日比でも感染者数で約90万人、死者数で1万人以上が増大し続けている（2021年4月下旬現在）。

あらゆる分野の研究において新型コロナウイルスの影響は排除できないし、実際ウェビナーによるシンポジウムの中心がコロナ時代、あるいはポスト・コロナ時代のテーマで行われている。新型コロナウイルスは中国・武漢が発祥地とされるが、感染は同国での被害を大きく超えてイタリアやスペインへ、現在はフランスやイギリスでより深刻化するなど欧州を席巻している。そして、世界最大の覇権国家のアメリカが圧倒的な速度で感染者数や死者数を増大させ、ともに世界最悪の水準になっている。アメリカに次いでインド、ブラジル、ロシアの順になっているが、医療が脆弱なアフリカや南米などへの爆発的な感染拡大が懸念されている。国際社会の関心はマスクなどによる感染予防からワクチン開発・接種へと移行しつつある。

筆者はもちろん感染症の専門家ではない。しかしながら世界保健機関（WHO）がパンデミックと認定した今回の新型コロナウイルス感染拡大で改めてみえてきたことは何か。本書では国際関係論の視点から問題提起をしてむすびにかえたい。筆者は、本書で「走錨する民主主義」「まだらな発展」「重心なき平和」の3つの問題を強調した。なぜならば、今回の新型コロナウイルス感染拡大とそれが引き起こした諸問題が筆者の3つの問題意識を顕在化させ、また実際に相関しているからである。以下、本書で指摘してきたいくつかの重要な視点を踏まえながら論じたい。

第1に、第4章で考察したようにグローバル化で拡大していった所得格差を背景にした問題が顕在化したことである。今回の新型コロナウイルス感染拡大で平常時における所得格差以上の危機が「負け組」層を襲っていることである。先進国では下層に追いやられた低賃金労働者を中心に国家の社会保険サービスにアクセスできない層が感染の更なる拡大を促した。換言すれば、エレファントカーブにおける先進国、特にアメリカの中間層が、高額な医療費の支出を回避していたことで、結果的に多数の感染死を出すことにつながったのだ。

他方で「勝ち組」の新興国の新中間層は世界の生産循環が行き詰まることで、雇用を失うことになった。中間層の労働放棄・自粛、それに連なる企業経営の弱体化や倒産により、富裕層の富の基盤が揺らぎ始めている。要するに、グローバル経済で効率性・コスト削減を追い求め、中間層を貧困に追いやってきたことが、今回のウイルス感染拡大でより甚大な被害をもたらした。その意味で、貧困化した中間階層の再構築こそが経済社会・政治社会の基本的安定の前提となることが今回の教訓で明らかになった。

2020年11月7日のバイデンによる大統領選挙勝利演説で「アメリカの魂を取り戻す」という発言が注目を浴びた。トランプ大統領が「アメリカ第一主義」を掲げたのも共通した考え方が背景にあった。バイデンは「国の骨格である中間層を立て直し、再び世界から尊敬されるアメリカとする」ことが大統領をめざした理由だと述べている。投票前後の各種世論調査では、経済と雇用を重視した有権者がトランプ、コロナ対策（ヘルスケア）を重視した有権者がバイデンを支持したと伝えられた。今回の選挙結果が示したアメリカ社会が分断化した最大の理由は、第一義的には経済とコロナ対策の天秤だったが、やはりラストベルト地帯をはじめとする白人労働者層のトランプ支持率の高さを反映している。「中間階級の再建」問題が分断克服への道筋であることをバイデンは十分に理解している。

ただその一方で、依然として社会的弱者層への感染拡大は国際社会が果たすべき人権問題として受け止めざるをえない。感染が爆発的に拡大しているアメリカでは、黒人やヒスパニックらのマイノリティの死亡率の高さが指摘されている。黒人の人口比率が30%のシカゴでは感染症による死亡者の60%が黒人で占められ、18%のニューヨークでは入院患者の3人に1人が黒人だという。ブルッキングス研究所のデータでは、黒人やヒスパニック系の死亡率は白人の6倍以上と報告している（Newsweek日本版2020年6月19日）。貧困層への感染拡大防止は「人間の安全保障」を掲げる国際社会が取り組むべき喫緊の課題だろう。

第2に、中国からはじまったCovid-19だったが、中国は共産党独裁の強権政治のもと、マスクの買い上げ、簡易病院の緊急建設、罰則をともなう外出禁止令など有無を言わさぬ感染防止に取り組んだ。その結果、早期に感染拡大を抑える成果をあげた。欧州への感染拡大が始まった2020年3月10日に習近平国家主席は感染発祥の地、湖北省武漢市を訪問して、中国の感染封じ込めの政治的成果を内外に訴えるパフォーマンスを披露した。

他方で、イタリア、スペイン、さらにはアメリカへと感染は拡大の一途を辿るが、中国政府は西欧の感染拡大を尻目に西欧型自由民主主義の脆弱性を指摘する絶好の機会と捉え、国際世論の中国批判への反撃を開始した。本書の第3章で考察した中国のシャープ・パワー戦略は自由民主主義体制の脆弱性に鋭く切り込み、「リベラルなきデモクラシー」、さらには権威主義政治体制への移行を後押しする結果につながった。換言すれば、新型コロナの感染拡大でみえてきたことは、西欧型「自由民主主義」の脆弱性だった。社会的秩序を重視するアジア型の対策は一定の感染の歯止めになったものの、自由権を重視してきた西欧型の対策はあくまで個人の自己責任を前提に感染対策を講じた。

「不要不急の外出禁止」措置も遅きに失し、患者数の増加に対応できない医療崩壊が起きた国もある。イギリスのように罰金を科す防止策を導入した国であっても国民への協力要請が基本だった。しかし、いったん感染が拡大傾向に入ると、人類にとっての初めての新型ウイルスに対しては、自由権を前提にした自己責任型タイプの予防策では感染拡大の歯止めにならないことを改めて示した。メディアを通じてみられた強引な外出禁止政策がどこまで人権との均衡が図れるのか今後の課題となった。[79]

第３に、グローバル化は「人の国際的移動」を前提に、モノ、カネ、情報が国境を自由に行き交う国際社会を推進してきた。新型ウイルスの感染拡大の理由の一つとして、自由に国境を行き交う人の国際的移動に求めることもできるだろう。そのため、感染の収束後の反動として移民・難民流入をいっそう拒絶する動きが予想される。なによりもEU懐疑派の台頭でさらなるEUの亀裂も考えられる。本書ではあまり触れなかったがヤシャ・モンクのいう「非民主的なリベラリズム」(民主主義の赤字）がEU内の不満を高め、域内の人の移動を保障するシェンゲン協定の見直しもEU議会などのアジェンダにあがるのではないか。ポピュリズム政治はいっそう欧州で勢力を拡大しそうな雰囲気である。

しかしながら他方で、今回の教訓はトランプや右派・右翼政党が主導するポピュリズム政治指導者・政党勢力が疎んじてきた国際協調主義の再構築の必要性を明確にしたことも明らかである。今回の新型ウイルス感染の拡大はグローバル化にともなう「人の国際的移動」が引き起こした問題だと考えるよりも、むしろ国際協調主義の退行こそが脅威の元凶になったのではないか。「自国第一主義」の風潮こそが、各国間の感染対策にともなう共有すべき重要な情報提供の遅れとネットワークの欠如を生んだのではないか。国際公共財としてのWHOは国際協調主義に基づき、何よりも多国間の協力関係を前提としている。

そうであるならば、中国型の権威主義政治体制よりも、自由に情報・意見交換が保障される自由民主主義、かつ国境を超えて国際協力が前提となる国際協調主義や多文化共生主義を促進していくべきだということこそが今回の教訓ではないだろうか。今回のような新型ウイルス感染拡大防止にはなによりも政府間の透明性を持った国際協力が重要だからだ。トランプ政権によるWHOに対する分担金の拠出停止や脱退は、WHOが「中国寄り」「中国中心主義」だという批判が背景にあった。

グテーレス国連事務総長が米中の覇権争いに「今はその時でなく、WHOの資金を減らす時ではない」（各紙報道）と述べているように、医療が脆弱なアフリカや南米への感染拡大を食い止めることを最優先にした国際協調が求められている。今回の米中間の紛争は第8章で紹介した「内部要因の外部転嫁」に相当する。トランプ大統領は「人間の安全保障」を最優先に、自由民主主義国家であればこその平和な社会の構築を促すべきだった。中国で発祥したとされる新型コロナウイルスは、「米中対峙」を超えて、世界全体の危機として世界全体で乗り越えなくてはならない「人間の安全保障」なのである。なお、バイデン新大統領はWHOへの復帰と国際協調主義の重視を宣言している。

第4に、たとえ政府間の国益の利害対立があっても、市民社会・NGOの国境を超えた人類益重視のグローバル・ネットワークは、人類共同体の推進アクターとしてその必要性が一段と強まったのではないか。ただその一方で、脅威となるのは情報操作である。大量に発信される既存メディアの情報に加え、ソーシャル・メディアから発信される情報のなかで、必要で信頼できる情報を取捨選択する難しさに直面している。私たちは物理的なテロのみならず、サイバーテロの攻撃対象となっている。それにはやはりリベラルなデモクラシーを前提にした真摯な議論が求められている。グローバル・ネットワークをより積極的に展開することで、人類益の展望が開けるのではないか。感染症という人間の安全を最大限脅かす新型コロナウイルスに直面する現在、さまざまな政治体制を超えたグローバルなヒューマン・ネットワークの重要性と必要性を改めて確認する契機になったことは間違いないだろう。

最後の第5に、いま世界が待ち望んでいるのは新型コロナウイルスに対応可能なワクチンの開発である。アメリカ、イギリス、ロシア、中国は通常10年かかるといわれるワクチンを1年で開発しており、2020年12月には接種が開始されている。すでにマスク外交からワクチン外交へと大国間の外交戦略に変化が生じている。中国やロシアのワクチン外交が展開される一方で、WHO主導の「COVAX Facility」が途上国にも行き渡るようなワクチンの公平供給をめざす156の国・地域が参加する枠組みとして展開している[80]。ワクチンの公平な途上国への分配が間接的には感染防止につながることになる。

また、アメリカのノーベル経済学者ジョセフ・ユージン・スティグリッツ（Joseph Eugene Stiglitz）は、今回のコロナ危機に直面し、改めて「克服の要はウイルスを特定し、治療薬とワクチンを開発する科学の力」だと述べる。そのうえで「疫病・災害・気候変動などの危機から国民を守り、社会全体に奉仕する」ことが政府の役割だと指摘する[81]。自国第一主義を超えた世界が共有可能な科学者の養成が求められている。

スティグリッツは、アメリカの感染拡大の背景には科学の軽視と科学費の削減があったと述べるが、日本においても同様の危機感を感じる。特に日本は若手研究者の養成に消極的である。今回のような未知のウイルスに対応可能な研究者の養成は単に日本のためだけではなく、世界の平和と安全にも寄与する。平時における危機感がない状況下でも非常時に対応可能な地道な人材の育成は喫緊の課題であることが再認識された。重要なのは、若い研究者が地道に研究を続けるための日常的な支援をいっそう高めることである。もちろん、国境を超えた人的交流を前提としたものであることはいうまでもない。

本書は筆者が主に東南アジア諸国を広く参与観察も含めて見聞してきた研究調査の成果物である。換言すれば、資料・文献や聞き取り調査に基づく研究者の眼と、NGO活動を通じて肌で感じてきた実務家の眼による成果である。筆者はフェアートレードなどの開発問題や民主化支援のための選挙監視活動に長年従事してきた。そして行き着いたのが「走錨する民主主義」「まだらな発展」「重心なき平和」という3つの現状だった。

まず、リベラル・デモクラシー（自由民主主義）の世界的後退を論じ、「民主主義」は走錨しているのではないかと強く感じた。それは「主権民主主義」や、西欧型の自由民主主義の脆弱性を突いたシャープ・パワーの存在によるものだった。しかし他方で、アメリカ自体がトランプ政権の誕生で自ら民主主義の脆弱性を露呈したということも指摘した。つまり、トランプのような過激な大統領候補者を候補者指名の過程で防げなくなり、抑制と均衡という2つ規範が機能しなくなったのだ。スティーブン・レビツキーらはこのシステムをアメリカの民主主義の「柔らかいガードレール」と呼び、党派間の闘争を回避するシステムだったと述べる（レベツキー＆ジブラット 2018：26）。2020年のバイデンの勝利は果たしてこのシステムが機能したのか。どうやらアメリカ社会の分断の後遺症は今後も続くのではないか。

また、筆者は前述した研究上の2つの眼を通じてヤシャ・モンクの著書『民主主義を救え！』に触発された。モンクは自由と民主主義を別枠で捉える必要性を訴えた。筆者自身はアジアの選挙監視活動から常々感じていたことは「自由で公正な選挙（Free & Fair Elections）」とはいったい何かという問いだった。選挙の正統性を測る基準は「自由で公正な選挙」だったかどうかである。筆者は15回程度の選挙監視活動を通じて「自由」と「公正」には互いに異なる基準があるのではないかという結論にたどり着いた。

少なくとも東南アジア諸国の選挙では、誰に投票をするのかを決める基準が、友人の薦めであることもあるし、候補者主催のエンターテイメントに参加して決めることもあるし、品物を受け取って決めることもあり、家長の指示に従うことさえある。ただし、その有権者個人の選択の「自由」が尊重されていることが重要になる。他方で、「公正」は自由意思で投票箱に投入された投票用紙の扱い方の問題であり、権力者によって不正に操作されていないことが重要になる。

また、現地社会、特に東ティモールの平和構築から国家建設に至る現場を何度も定点観測してきたが、同国を含めた新興国と先進国社会の「開発の同時性」を強く感じてきた。東南アジアの新興国の首都・都市部の発展は目まぐるしく、交通渋滞は年ごとに増し、大気汚染もひどくなっている。ただその一方で、地方などの遠隔地域とのさまざまな格差が顕著になってきた。選挙監視活動で地方に派遣されると都市部との格差に否応なしに気づかされる。東ティモールのような小国であってもインフラ整備の違いを反映して、都市と農村の格差はきわめて大きい。この状態を筆者は「まだらな発展」と称したのである。

本書の最終的問題意識は、私たちの生活における日常性の確保である。初瀬龍平は「日常性の事象は、社会の深部にかかわり、長い時間にわたり継続的に生起するものである」と述べ、それに対して「非日常性の事象は社会の表層に起こって、比較的に短い時間（あるいは期間）、存続するものである」と両者の相違を述べている（初瀬 2011：7）。初瀬が依拠した日常性の議論は、フェルナン・ブローデルの『日常性の構造』であった。

ブローデルは生物学的旧制度が18世紀に整備されたが、それ以前はペスト、天然痘、マラリアなどの流行病で多くの人々が死亡したことを指摘する。ウイルスが「あらゆる人間団塊から別の人間団塊へと、両脚を揃えてぴょんぴょん跳ねて」いくのだ。ただ、「金持ちはあたふたと別荘めざして逃げ」、「各自がもはや自分のことしか考えなかった」という。そして、貧民ばかりが取り残されて、「病菌に汚染された都市に囲いこまれ、国家の手で養われ、隔離され、封鎖され、監視された」。流行病は階級間の不均衡を際立たせて、極貧者に襲いかかかり、「金持ちには目こぼしをする」とブローデルは述べている（ブローデル 1985：77-109）。

ブローデルも指摘するように歴史的に流行病は「昂進と衰退とを繰り返す」のであり、非日常性が比較的短い時間で存続することに鑑みると、まず国際社会は国家を超えた人類の叡智を持ち寄ることが重要ではないか。本書の議論で置き換えると、それは平和な社会の構築に向けた国際協調と国際協力を重視するさまざまなネットワークを日常的に構築していくことではないか。新型コロナウイルスは典型的な非日常性の事象に属するが、自由主義や民主主義は私たちの日常生活の平和を創造する基本であり、「恐怖からの自由」を担保するものである。また貧困からの脱却、つまり「欠乏からの自由」も「誰ひとり取り残さない」（Leave no one behind）世界の実現にとって長く人類がめざしてきた取り組みなのである。

注

1　「発展」と「開発」はともに英語では「Development」を指す。「発展」は自動詞として主体の自主的な「発展」（例えば「内発的発展論」など）を指すのに対して、「開発」は他動詞として主体が他者の働きかけを前提に「開発」（例えば「開発援助」など）をされる場合だという違いが指摘されることもある。ただ、どちらに訳するか不明瞭な場合（例えば「持続可能な発展／開発」の両方の場合）もある。したがって、本書では適宜「Development」の訳語として発展と開発をともに使用する。なお、本書の主題の一つである「まだらな発展」に関しては「Development」を総体的に捉えた表現である。

2　引用書のなかで邦訳書がある場合は、原則それを利用する。

3　フィリピン政府は、2020年2月にフィリピンとの軍事演習やアメリカ艦船の地域巡回を可能にする「訪問米軍に関する地域協定」（VFA）を破棄するとアメリカ政府に通知した。南シナ海での中国の軍事拠点化に歯止めをかけようとするアメリカ軍の戦略が崩れてしまうと当時のエスパー国防長官は懸念を示している（『朝日新聞』2020年2月14日）。

4　1308名の回答者の内訳をみると、まず国別ではミャンマー224（18.6%）、シンガポール222名（17%）、マレーシア163名（12.5%）、ベトナム11.6%、インドネシア11.3%、フィリピン10.5%、ブルネイ7.4%、タイ7.3%、カンボジア2%、ラオス1.8%だった。また、職業別では政府・地域機関・国際機関従事者40%、研究者・シンクタンク・研究機関従事者36.2%、ビジネス・金融従事者6.6%、市民社会・NGO従事者6.5%となっている。

5　ウェルシュは2014年2月のロシアによるクリミア併合が「数十年前にアメリカ合衆国とソビエト連邦のあいだで繰り広げられた、戦略とイデオロギーをめぐる競争を不気味なほど思い起こさせるものであった」と、東西冷戦への「歴史の回帰」と述べている（ジェニファー・ウェルシ『歴史の逆襲――21世紀の覇権、経済格差、大量移民、地政学の構図』秋山勝訳、朝日新聞社、2017年、160頁〔Jennifer Welsh, *The Return of History: Conflict, Migration, and Geopolitics in the Twenty-First Century*, House of Anansi Press, 2016〕）。他方で下斗米伸夫はウクライナ危機の最大の要因は「実は宗教」であり、多くの分析が「宗教や文化といった側面をまったく無視して、安全保障やプーチン政権の権威主義化といった側面から（ウクライナ）問題を捉えがちであった」と指摘し、「文明論・宗教的アプローチ抜きに今のロシア、あるいはウクライナとの特殊な関係は理解できない」と述べている（下斗米伸夫『宗教・地政学から読むロシア――「第三のローマ」をめざすプーチン』日本経済新聞出版社、2016年、5-6頁)。つまり、ウクライナ危機後の東西関係を「新冷戦」という考え方に落とし込むことを批判している。

6　憲法改正を国民に問う4月22日の「全ロシア投票」は新型コロナウイルス対策の影響で延期されていたが、7月1日に実施された。投票率65%で77.9%の賛成を得ている(「ロシアの改憲投票、78%が賛成　プーチン大統領は2036年まで続投可能に」「BBC NEWS Japan」2020年7月2日〔https://www.bbc.com/japanese/53260238〕[2020年7月10日閲覧])。反政権活動家アレクセイ・ナバリヌイ氏の有罪判決をめぐる問題で、2021年2月現在、ロシアの各地で反対デモが起きている。毒殺未遂事件も含めて、プーチン政権の動向が注視される。

7　「欠乏からの自由」と「恐怖からの自由」は、1941年1月のフランクリン・ルーズヴェルト大統領の一般教書演説の4つの自由に含まれている。他の自由は「言論と表現の自由」と「信仰の自由」だった。同様に41年8月の大西洋憲章前文、48年12月に採択された世界人権宣言の前文にも「恐怖及び欠乏のない世界の到来」という一文が記載されている。

8　「米政府、パリ協定離脱を正式通告 気候変動対策に暗雲」「BBC NEWS Japan」2019年11月5日(https://www.bbc.com/japanese/50297884)[2020年6月22日閲覧]

9　世界銀行は1993年に *The East Asian Miracle: Economic Growth and Public Policy* (Oxford University Press、世界銀行『東アジアの奇跡——経済成長と政府の役割』白鳥正喜監訳、海外経済協力基金開発問題研究会訳、東洋経済新報社、1994年)という報告書を出した。日本、韓国、台湾、香港、シンガポールの「4匹の虎」、インドネシア、マレーシア、タイの「新興工業化諸国」(NIEs)の「東アジア8カ国」が高成長を遂げるアジア経済地域として評価された。

10　「デジタル農民工」とは、中国特有の農村出身の出稼ぎ労働者で農村戸籍のままで都市部の工場で働く労働者である「農民工」を指す。これをもじった朝6時から夜9時まで、しかも週6日勤務する「996工制」と呼ばれるIT系高等教育を受けた青年技術者が知られている(『朝日新聞』2019年9月24日記事など)。

11　2018年11月頃からフランスで「黄色いベスト(ジレジョーヌ)」運動のように、政府の燃料税の引き上げ方針に反対する中低所得層のデモが繰り広げられた。その他、2019年の現状をみると、イランではガソリン価格の値上げで市民生活の窮状を訴えた反政府抗議デモが起きているし、レバノンでは無料音声通話に対する課税に対して、チリでは地下鉄運賃の値上げを理由に、中東や南米各地で市民が生活の窮状を訴えた抗議運動を展開している（各紙報道）。

12　SDGsの17目標とは、1. 貧困、2. 飢餓、3. 保健、4. 教育、5. ジェンダー、6. 水・衛生、7. エネルギー、8. 経済成長と雇用、9. インフラ、産業化、イノベーション、10. 不平等、11. 持続可能な都市、12. 持続可能な生産と消費、13. 気候変動、14. 海洋資源、15. 陸上資源、16. 平和、17. 実施手段、となっている。

13　外務省「SDGサミット2019」［2020年6月22日閲覧］

14　同ウェブサイト

15　内閣府・総務省・厚生労働省『相対的貧困率に関する調査分析結果について』（平成27年12月18日）における「相対的貧困率」とは、一定基準（貧困線）を下回る等価可処分所得しか得ていない者の割合をいう。なお、貧困線とは、等価可処分の中央値の半分の額を示す。また、等価可処分所得とは、世帯の可処分所得（収入から税金・社会保険料等を除いたいわゆる手取り収入）を世帯人員の平方根で割って調整した所得を示す（7頁、参考1備考）。

16　順位表のデータは0歳から17歳までの子どもを対象にし、EUや欧州諸国は2013年の欧州所得。生活状況調査のマイクロデータに基づき計算され、日本は13年の厚生労働省の国民生活基礎調査を利用、その他の国々も可能な限り最新の調査データに基づく数値となっている（ユニセフ・イノチェンティ研究所『レポートカード13 子どもたちのための公平性――先進諸国における子どもたちの幸福度の格差に関する順位表』日本ユニセフ協会広報室訳、日本ユニセフ協会、2016年、44頁参照）。

17　認定特定非営利活動法人「しんぐるまざあず・ふぉーらむ」が、新型コロナウイルスの影響を受けたひとり親世帯に食料支援を行い、その受益者に対してオンライン・アンケートの収集を実施した。この「だいじょうぶだよ！プロジェクト」の「9月食料支援」による調査は、2020年9月11日から12日に実施し、全国から1999人の回答を得て分析した結果である（https://www.single-mama.com/topics/covid-19-sep）［2020年11月20日閲覧］。

18　ウォレンスティーンらの2009年論文（Lotta Harbom and Peter Wallensteen, “Armed Conflicts, 1946-2008,” *Journal of Peace Research*, Vol.46, No.4, 2009）のTable IIでは、冷戦後の国家間紛争数が1989-91年：2、92年：1、93-94年：0、95年：1、96年：2、97年：1、98-2000年：2、01-02年：1、03年：2、04-07年：0、08年：1であり、国内紛争が中心になったことを示している。

19　Boutros Boutros-Ghali, *An Agenda for Peace: Preventive diplomacy,*

Peacemaking and Peace-keeping（A/47/277-S/24111, 17 June 1992、ブトロス・ブトロス＝ガーリ『平和への課題』第2版続編と関連国連文書増補、国際連合広報センター、1995年）。本節では、原文と翻訳の両方を適宜利用する。

20 ガーリは1992年1月の安保理から求められた報告書には「紛争後の平和構築」が含まれていなかったため、6月提出の『平和への課題』には補足したと述べている。なお、各平和活動の記載内容の多くは、基本的に同報告書（国連広報センター仮訳）から引用するが、適宜原文も利用する。

21 国連憲章の条文訳は、薬師寺公夫・坂元茂樹・浅田正彦編集代表『ベーシック条約集 2020』（東信堂、2020年版）を利用する。

22 UNOSOM Ⅱ（United nations Operation in Somalia Ⅱ）は、ソマリアの内戦が拡大し、治安悪化したことを踏まえてUNOSOM Ⅰを拡大改編した国連平和維持活動である。1992年12月の安保理決議794での採択を踏まえ、国連憲章第7章の軍事力行使に基づく、アメリカ軍を中心にした国連平和執行部隊の派遣だった。UNOSOM Ⅱは敵対勢力だったアイディード将軍派との戦闘行為に陥り、同派が殺害したアメリカ軍兵士が市中を引き回される映像がCNNで公開されたこともあり、アメリカ軍は94年3月にはソマリアから撤退した。結果的に94年2月の安保理決議897の採択をもってUNOSOM Ⅱのマンデートから武装解除任務が外された。これによりガーリの平和執行部隊構想は頓挫することになった。

23 Boutros Boutros-Ghali, *Supplement to An Agenda for Peace: Position Paper of the Secretary-General on the Occasion of the Fiftieth Anniversary of the United Nations*（『平和への課題　補足』）, A/50/60-S/1995/1, 2 January 1995. 邦訳版は注4を参照。『補足』版の訳も両方を利用する。

24 Boutros Boutros-Ghali, *An Agenda for Development: Report of the Secretary-General*（A/48/935）(6May1994)（ブトロス・ブトロス＝ガーリ『開発への課題』国際連合広報センター、1995年）。本報告書に関しても基本的に翻訳版を利用するが、適宜原文も併用する。

25 戦争がいかに開発（経済成長）に悪影響を及ぼすのかを詳細に調査した世界銀行の報告書、世界銀行編『戦乱下の開発政策』（世界銀行政策研究レポート、田村勝省訳、シュプリンガー・フェアラーク東京、2003年、Paul Collier, V. L. Elliott, Havard Hegre, Anke Hoeffler , Marta Reynal-Querol and Nicholas Sambanis, *Breaking the Conflict Trap: Civil War and Development Policy*, The World Bank, 2003. ）を参照。

26 外務省「国連PKOの展開状況」[2020年6月30日閲覧]、防衛省・自衛隊

「国連南スーダン共和国ミッション」[2021年2月8日]

27 2020年11月現在で、エチオピアでは同国北部のティグレ州を拠点とする「ティグレ人民解放戦線(TPLF)」と連邦政府軍との軍事衝突が拡大している。国連難民高等弁務官事務所(UNHCR)によると、ティグレ州から隣国スーダンへ3万人近い難民が越境していると報告されている。なお、エチオピアのアビー・アハメド首相は隣国エリトリアとの国境紛争を終結させ、政治犯を釈放したことなどが評価され19年度のノーベル平和賞を受賞している。

28 『ブラヒミ報告』の正式名は『国際連合平和活動に関するパネル報告書(*Report of Panel on United Nations Peace Operations*)』(A/55/305, S/2000/809)。本項では翻訳版を基本的に利用するが、適宜原文も参考にする。

29 マレーシアはブミプトラ66%(うちマレー人54%)、華人26%、インド人8%、その他1%(2003年)の人口構成をもつ多エスニック国家である。本文であるように、経済的に遅れたブミプトラへの優遇政策は一定の成果を生んだが、他方で非ブミプトラ(特にインド人)に大きな犠牲を強いたことも事実である(山田満『多民族国家マレーシアの国民統合』大学教育出版、2000年を参照)。なお、筆者はマレーシア最大の国民統合危機となった1969年の5・13事件に至る経緯を分析し、3つのエスニック・グループ間の所得分布の幅と社会統合の関係で同事件を分析している(山田満「マレーシアにおける平和構築の試み——マルティ・エスニック国家の紛争予防」『平和研究』第30号、2005年)。

30 『戦乱下の開発政策』では、「開発の後戻りを意味する内戦」(第1章)をテーマにしている。本項では同報告書が使用する「内戦」を使うが、「内戦」も「紛争」の範疇だと考えられるので、ここでは広く「紛争」と置き換えても問題はない。

31 国家が深刻な経済状況で混乱に陥り非常事態に襲われときには世銀からの支援を要求し、また政府と世銀から迅速な対応を要求する。このような世銀の非常事態回復支援に対する支援政策(World Bank Opeational Policy on Emergency Recovery Assistance: OP8.50)を指す。OP8.50政策は1995年9月1日以降に開始されている。なお、BPはBank Proceduresを意味する。World Bank, *Post-Conflict Reconstruction*, 1998, pp.66-68.

32 報告書の英語名は、*Fragility and Conflict on the Front Lines of the Fight aginst Poverty*, World Bank Group, 2020.

33 外務省「政府開発援助大綱」[2020年7月10日閲覧]

34　同ウェブサイト

35　岡部達味『国際政治の分析枠組』（東京大学出版会、1992年）の第2部第2章「国際紛争の諸類型とその処理・解決」を参照。

36　多賀秀敏「平和学の最前線」（山本武彦編『国際関係論のニュー・フロンティア』成文堂、2010年、53頁）で、平和学の軌跡を辿ると1950年代が出発点であり、スタンフォード大学とミシガン大学での紛争研究の開始、オスロ国際平和研究所（PRIO）とストックホルム国際平和研究所（SIPRI）の開設がメルクマールになっていると述べる。

37　多賀は、ガルトゥングの構造的暴力論における3つの弱点を指摘する。第1に、現実に対する分析によって生み出される結果が静的な解釈になる。第2に、現象に対する因果関係の考察を欠き、将来の具体的な戦略の検討を却って困難にする。第3に、構造的モデルを示すことに執着するために、極度な単純化と部分化がなされ、それが全体に適用される恐れがある（多賀秀敏「J・ガルトゥングの世界分析――構造的暴力と帝国主義」、白鳥令・曽根泰教編『現代世界の民主主義理論』新評論、1984年、172頁）。なお、岡部達味は、ガルトゥングが南北問題の重要性をいっそう認識させた点を評価する一方で、暴力概念を拡大しすぎるとして、「構造的紛争」と呼び換えている（岡部達味『国際政治の分析枠組』東京大学出版会、1992年、118頁）。

38　この3つの分析手法に関しては、山田満「紛争分析・解決手法と市民参加型の平和構築の展望」（山田満・小川秀樹・野本啓介・上杉勇司編著『新しい平和構築論――紛争予防から復興支援まで』明石書店、2005年）から一部加筆修正して転用する。

39　厚生労働省ウェブサイト「児童虐待の定義と現状」（https://www.mhlw.go.jp/stf/seisakunitsuite/bunya/kodomo/kodomo_kosodate/dv/about.html）[2020年8月20日閲覧]

40　ミンダナオ紛争に関しては筆者も「東南アジア・同境界地域の紛争解決と平和構築――深南部タイとミンダナオの二つの紛争を事例にして」（『国際政治』第185号、2016年）で、同紛争の詳しい経緯を発表している。

41　外務省「最近のフィリピン情勢と日・フィリピン関係」[2020年9月3日閲覧]

42　東ティモール紛争に関しては、独立までのプロセスは、松野明久『東ティモール独立史』（早稲田大学出版部、2002年）、広くさまざまな分野の基本的な理解には、山田満『東ティモールを知るための50章』（明石書店、2006年）、現代政治分析に関しては、同「東ティモール――21世紀最初の独立国家」（清水一史・田村慶子・横山豪志編著『東南アジア現代政治入門 改訂版』ミネルヴァ書房、2018年）を参照。

43　なお、遠藤貢「『市民社会』論」(『国際問題』2000年7月号）も参照。

44　リーマ・ボウィーは非暴力組織「平和のための女性リベリア大衆行動(Women of Liberia Mass Action)」を組織し、タワックル･カルマンは「束縛のない女性ジャーナリスト（Women Journalist without Chains)」を設立して人権侵害と闘った。

45　平和構築に関する日本人の意識調査報告書が笹川平和財団の支援でイギリスの国際平和構築NGOコンシリエーション・リソースシズから出されているので紹介する。2019年12月に「平和構築」と「武力勢力との対話」に関する意識調査の結果､次の4点が明らかになったという。1. 日本の人々は、平和構築がきわめて重要な役割を果たしていると考えおり、日本はより多くの資金や人員を投じるべきだと考えている。2. 平和構築を支持する動機は、道義的なもの（人間には平和に生き、紛争の脅威から自由になる権利がある、全ての人間が地球に生きる市民である、紛争は国境を越えて共有される問題である、自分より恵まれない人々への援助を行うべきなど）である。3. 日本の人々は、紛争に対して軍事的に対応するよりも非暴力的で市民的な手段を好む。調査結果では男性の70%と女性の56%が市民的手段で平和構築の実現を求め、世代的には25-34歳が47%、それ以外は50%以上、65歳以上では78%が市民的手段の解決を支持している。4. 日本の人々は、紛争を解決する戦略の一部として武力勢力に関わることを支持する。ただし、対話・調停・交渉への関与に関しては圧倒的に国際機関に期待している。なお、本報告書によると、同団体も参加した17年6月から7月に実施したイギリス、アメリカ、ドイツの調査結果が日本の調査結果と同様だったと述べている（Conciliation Resources September 2020)。

46　本節は拙稿「国際NGOの台頭――インドネシア民主化に果たした選挙監視NGOネットワーク」(黒柳米司編『アジア地域秩序とASEANの挑戦――「東アジア共同体」をめざして』明石書店、2005年）を一部加筆修正して転載する。

47　IFESウェブサイト（https://www.ifes.org/what-we-do）[2020年12月9日閲覧]

48　ANFRELウェブサイト(https://anfrel.org/who-we-are/qbout-anfrel)[2020年12月12日閲覧]

49　ANFRELは各選挙監視活動後にプレスリリースのほかに、報告書を出している。各報告書はANFRELのウェブサイト（https:anfrel.org）の出版物(publication）で参照可能である。

50　InterBandは当時東海大学教授で、のちに衆議院議員になった首藤信彦氏が1992年に創設した紛争予防・平和構築支援のNGOである。

51 ANFRELは2012年にアジアの選挙に関わるステークホルダーをバンコクに集め、「アジアの選挙ステークホルダー・フォーラム」(Asian Electoral Stakeholder Form：AESF)を開催している。フォーラム開催の目的は「自由で公正な選挙」実施の必要性をアジアの選挙関係者を中心に議論し、バンコク宣言(全4節22項から構成)として確認することだった(ANFRELウェブサイトで宣言文が確認できる)。なお、AESFは15年に東ティモールのディリ、16年にはバリ、18年にはスリランカのコロンボでAESF Ⅳを開催している。

52 『日本経済新聞』に掲載されたマハティールの「私の履歴書」で語っている。なお、マハティール・ビン・モハマド『マハティールの履歴書——ルック・イースト政策から30年』(日本経済新聞社、2013年)として書籍化されている。

53 なお、ウォルツァーは市民社会を「非強制的な人間の共同社会の空間の命名であって、家族、信仰、利害、イデオロギーのために形成され、この空間を満たす関係的なネットワークの命名」であり、「様々な組合、教会、政党、そして運動、生活協同組合、近隣、学派、さらにあれこれを促進させ、また防止する諸々の共同社会である」と定義する(マイケル・ウォルツァー『グローバルな市民社会に向かって』石田淳・越智敏夫・向山恭一・佐々木寛・高橋康浩訳、日本経済評論社、2001年、10頁)。

54 Richard Robison and David S. G. Goodman eds., *The New Rich in Asia: Mobile Phones, McDonald's and Middle-Class Revolution*, Routlege, 1996などを参照。

55 トラック2の嚆矢は、インドネシア戦略国際問題研究センター(CSIS)、次にマレーシア戦略国際問題研究所(ISIS)が続き、ASEAN各国で設立されていくことになる。

56 前掲『アジア地域秩序とASEANの挑戦』では、1986年7月のASEAN商工会議所(ASEAN-CCI)の経済協力と統合をめざした各有識者による諮問委員会「14人グループ」の設置と翌年の『ASEANの前途』報告書作成、93年のASEAN地域フォーラム(ARF)に発展する91年のASEAN-ISIS提言などをトラック2チャネルの貢献としてあげている(264-268頁)。

57 ASEAN市民社会会合は2005年以降毎年開催され、ASEANの平和、正義、人権、開発、民主化について話し合っている。最近では17年11月にフィリピンで、18年11月にシンガポール、19年9月にタイで開催されている。

58 なおACSC- Ⅲの運営上の中心的な役割を担ったワーキング・グループ

は「アジア民衆のアドボカシー連帯（the Solidarity for Asian People's Advocacy: SAPA)」である。

59 黒柳米司は、ASEANの3つの「退廃」現象の一つにミャンマー問題への対応を挙げている。

60 ACSC Ⅲ ／ SAPAの主要構成NGOであるAsia DHRRA (Asian Partnership for the Development), Focus on the Global South, FORUM-ASIA(Asian Forum for Human Rights and Development), Human Rights Working Group-Indonesia, MFA (Migrant Forum in Asia), SEACA (Southeast Asian Committee for Advocacy), Think Center-Singapore, TWN (Third World Network)である。それ以外にACSC Ⅲのシンガポール組織委員会やユニオン・ネットワーク・インターナショナル・アジア太平洋地域組織（Union Network International-APRO）も参加している（FORAM-ASIA〔http://www.forum-asia.org/?p=7039〕[2012年4月8日閲覧]、Focus on the Global South〔http://www.focusweb.org/node/1277〕[2012年4月7日閲覧]などを参照)。

61 フォラーム・アジアは "Bloody hands on the Charter: Shame!" と「恥である」とまで表現している（前掲FORAM-ASIAウェブサイト)。

62 ANFREL関係者に対する筆者聞き取り（2010年3月18日タイANFREL本部)。なお、筆者も参加した2009年8月のANFRELアフガニスタン大統領選挙監視団において、難民ミャンマー人女性NGOスタッフからもミャンマー民主化戦略を聞いた。

63 報告書名は、Ryan D. Whelan, *BURMA Election 2010: An Election of Generals, Election Summary Report Burma Parliamentary & Local Assembly Elections November 2010*, Thai Action Committee for Democracy in Burma (TACDB), 2011.

64 勧告の内容は、2008年憲法に対する修正（両院の25%軍事枠など)、有権者登録法、政党と候補者の関係、選挙キャンペーンの方法、連邦選挙管理委員会の独立性、メディアの中立性、投票と開票プロセスなどの改革を求めていた。

65 "Anfrel calls for Myanmar sincerity," *Bangkok Post: breakingnews*, March 23rd, 2012（http://www.bangkokpost.com/breakingnews/285525/anfrel-calls-for-myanmar-sincerity) [2012年4月8日閲覧]

66 ミャンマー政府は、2012年の補欠選挙直前に、国連、アメリカ、ＥＵ、日本、中国、韓国から各2名の監視員の受け入れを発表し、これら該当国から3名のジャーナリストの取材を許可した。なお、ASEAN諸国からの監視団の受け入れも決めた。また、ANFRELのミャンマー補欠選挙の実施結果の声明文を、同ネットワーク16カ国21団体と共同で出している（"Statement on Myanmar by-elections (April 1, 2012)"〔http://anfrel.org/press-statement-on-the-myanmar-by-elections〕［2012年4月8日閲覧］）。

67 ソムスリの発言は注65のバンコク・ポスト記事参照。今回の補欠選挙結果を受けて、アメリカもミャンマー制裁緩和を表明している（『朝日新聞』2012年4月5日夕刊記事）。日本も円借款の凍結解除を検討している（『朝日新聞』2012年4月2日朝刊記事）。

68 2015年11月8日の連邦議会総選挙において、ANFRELはネットワークを有する15カ国から長期と短期の46名の選挙監視員を全国に派遣した。筆者も参加したが、10年選挙と12年補選に比べ、格段に「自由で公平な選挙」が実施されたと評価した（ANFREL, *General & Local Elections: Myanmar 2015*）。NLDの圧勝で終わり、上下院ともに25%の軍人枠に関する憲法改正が喫緊の課題となった。しかしながら、軍は憲法改正に否定的である。NLDの圧勝で20年11月の選挙を終えたが、やはり軍人枠が継続されている。2020年11月の連邦選挙ではNLDの予想を超える圧勝だった。なお、20年連邦選挙結果の暫定報告書（*Interim Report: 2020 Myanmar General Elections*）が出されている（ANFRELウェブサイトを参照）。

69 ANFRELウェブサイト（https://anfrel.org/category/country-profiles/myanmar/［2021年4月23日閲覧］）で適宜情報が更新されている。

70 リーマ・ボウィーらの活躍は、2009年2月2日BS NHKのドキュメンタリー番組放送『リベリア内戦を終わらせた女たち』でみられる。

71 2005年4月および08年2月のアチェ訪問時における筆者聞き取り調査。例えば、08年2月12日のタルミジ（Tarmizi）アチェ民衆フォーラム（Aceh People's Forum）代表、翌日のマルハバン（Shadia Marhaban）アチェ女性連盟（Aceh Women's League）代表などとの面談で再三指摘された。09年6月19日にミンダナオのコタバトで、32団体の協議会で構成されるバンサ女性連帯フォーラム（Bangsa Women Solidarity Forum）のシムマル（Esmeralda Akmad Simpal）からミンダナオ和平に参加する女性の役割を聞いた。

72 ポスト京都議定書をめぐる気候変動枠組み条約第17回締約国会議（COP17）で、日本の環境保護団体（気候ネットワーク、世界自然保護基金など）が日本政府の消極的交渉姿勢を批判している（共同通信配信記事、2011年12月6日）。蟹江憲史は環境問題の政策決定過程における政府と市民社会の役割に関して、「欧州の非政府組織代表は、仮に政府と立場は違うときでも、政府からの情報量や政府代表とのコンタクトにも満足しているとの声が聞こえる。対して日本の非政府組織代表はといえば、残念ながらこの点で不満を耳にすることが多い」と述べている（蟹江憲史「ポスト京都議定書？——気候変動をめぐる長期的国際制度議論の行方」、功刀達朗・内田猛男編『国連と地球市民社会の新しい地平』東信堂、2006年、251頁）。

73 ミャンマーの民主化運動を支援するイギリス人の人権活動家ベネディクト・ロジャーズ（Benedict Rogers）へのインタビュー記事ではタン・シュエ（Than Shwe）らは、「アラブの独裁者たちの末路を見て、改革路線を容認する方が安全と判断したのだろう」という複数の情報源を基に発言している（『朝日新聞』2012年4月5日朝刊記事）。

74 スリランカのアハンガマジー・チューダー・アリヤラトネ（Ahangamage Tudor Ariyaratne）が主宰するサルボアヤ・シュラマダーナ運動（Sarvodaya Shramadana）は仏教原理に基づくアジア的な開発のあり方を提案している。サルボダヤ運動はアジア地域をはじめ広く途上国世界で受け入れられている。A・T・アリヤラトネ『東洋の呼び声』（山下邦明・林千根・長井治訳、はる書房、1990年）を参照。また、貧困の削減を目的に活動し、10万人のスタッフを有するバングラデシュのNGO「BRAC」がアフガニスタンでの学校経営支援を実践し、同国の2006年ノーベル平和賞受賞者ムハマド・ユヌス（Muhammad Yunus）が推進する貧困層向けの小額融資（マイクロファイナンス）を同様にアフガニスタンで実践している（『朝日新聞』2012年3月19日朝刊記事）。ユヌスが設立したグラミン銀行のマイクロファイナンスも所得格差を抱えるアメリカなどをはじめ、世界各地に拡大している。このようにアジア発の貧困解決に向けた活動が世界に展開している。

75 『NHK土曜プレミアム 21世紀の証言——アリヤラトネ「アジア草の根の農村開発」』2002年7月22日放送。

76 「イスラエル／被占領パレスチナ地域／パレスチナ——最悪の中東和平案 深まる人権侵害」「AMNESTY International Japan」2020年2月18日（https://www.amnesty.or.jp/news/2020/0218_8624.html）［2020年11月10日閲覧］

77 同記事

78 同記事

79 国際人権NGOのヒューマン・ライツ・ウォッチ（HRW）は、「新型コロナウイルスを機に人権問題に対処を」という声明を出し、各国政府の感染拡大防止にともなう人権侵害に警鐘を鳴らしている。具体的には「40項目からなる新型コロナウイルス感染症危機対応に関するチェックリスト」を明らかにして、各国政府に人権促進の対応を促している（https://www.hrw.org/ja/news/2020/04/14/340779［2020年4月14日閲覧］）。

80 World Health Organization, *Boost for global response to COVID-19 as economies worldwide formally sign up to COVAX facility*, 21 September 2020, News release を参照。

81 スティグリッツは、「政府を強くし、市場に適切な規制をかけ、政府・市場・市民社会が均衡関係を保つような資本主義」を「進歩資本主義」と呼び、従来の新自由主義路線からの転換を提唱している（「NY在住ノーベル賞経済学者が読み解く、コロナ禍で見えた『小さな政府』の限界」『讀売新聞』オンライン、2020年5月6日〔https://www.yomiuri.co.jp/world/20200430-OYT1T50261/〕［2020年5月6日閲覧］）

参考文献一覧

はじめに

アリソン,グレアム(2017)『米中戦争前夜』藤原朝子訳、ダイヤモンド社(Graham Allison, *Destined for War: Can America and China Escape Thucydides's Trap?*, Houghton Mifflin Harcourt, 2017.)

第1章

岩崎育夫編(1994)『開発と政治――ASEAN 諸国の開発体制』アジア経済研究所

白鳥令(1984)「現代世界の民主主義理論」(白鳥令・曽根泰教編『現代世界の民主主義理論』新評論)

田中浩(2013)「リベラル・デモクラシーからソーシャル・デモクラシーへ」(田中浩編『リベラル・デモクラシーとソーシャル・デモクラシー』未來社)

ダール, ロバート・A(1981)『ポリアーキー』高畠通敏・前田脩訳、三一書房

細野昭雄・恒川恵市(1986)『ラテンアメリカ危機の構図――累積債務と民主化のゆくえ』有斐閣

モンク,ヤシャ(2019)『民主主義を救え!』吉田徹訳、岩波書店(Yascha Mounk, *The People vs. Democracy: Why Our Freedom Is Danger and How to Save It*, Harvard University Press, 2018.)

薬師寺公夫・坂元茂樹・浅田正彦編集代表(2020)『ベーシック条約集 2020』東信堂

吉川元(2007)『国際安全保障論』有斐閣

リンス, フアン(1995)『全体主義体制と権威主義体制』高橋進監訳、法律文化社(Juan J. Linz, "Totalitarian and Authoritarian Regimes," in F. Greenstein and N. Polsby, eds., *Handbook of Political Science*〔Reading, Mass.: Addison-Wesley, 1975〕, vol.3. pp.175-411.)

Freedom House (2019), *Freedom in the World 2019.*

Linz, Juan J. (1970) "An Authoritarian Regime: Spain," in Erik Allard and Stein Rokkan eds., *Mass Politics: Studies in Political Sociology*, Free Press.

第2章

天児慧編(2018)『習近平が変えた中国』小学館

石田正美(2020)「『一帯一路』構想下の GMS 経済回廊開発」(山田満・苅込俊

二編『アジアダイナミズムとベトナムの経済発展』文眞堂）
稲田十一（2020）「ドナーとしての中国の台頭とそのインパクト――カンボジアとラオスの事例」（金子芳樹・山田満・吉野文雄編『「一帯一路」時代のASEAN――中国傾斜のなかで分裂・分断に向かうのか』明石書店）
ウェルシュ，ジェニファー（2017）『歴史の逆襲――21世紀の覇権、経済格差、大量移民、地政学の構図』秋山勝訳、朝日新聞社（Jennifer Welsh, *The Return of History: Conflict, Migration, and Geopolitics in the Twenty-First Century*, House of Anansi Press, 2016.）
金子芳樹（2020）「マレーシアの中国傾斜と政権交代――『一帯一路』をめぐるジレンマとその克服」（金子芳樹・山田満・吉野文雄編『「一帯一路」時代のASEAN――中国傾斜のなかで分裂・分断に向かうのか』明石書店）
関志雄（2018）「『一帯一路』を読み解く――巨大経済圏構想の真相」（天児慧編『習近平が変えた中国』小学館）
工藤年博（2020）「ポスト軍事政権期の中緬関係――『一帯一路』はミャンマーに経済成長をもたらすのか」、（金子芳樹・山田満・吉野文雄編『「一帯一路」時代のASEAN――中国傾斜のなかで分裂・分断に向かうのか』明石書店）
佐野淳也（2019）「一帯一路、沿岸諸国による見直しの動きをどう捉えるのか」（『JRIレビュー』第65号）
庄司智孝（2019）「中国とアメリカとの関係を再調整するフィリピン」（『国際情報ネットワーク分析IINA』）
永井史男（2018）「タイ――『国王を元首とする民主主義』国家」（清水一史・田村慶子・横山豪志編『東南アジア現代政治入門 改訂版』ミネルヴァ書房）
矢野恒太記念会編（2018）『世界国勢図会――世界がわかるデータブック2018/19』矢野恒太記念会
矢野恒太記念会編（2019）『世界国勢図会――世界がわかるデータブック2019/20』矢野恒太記念会
矢野恒太記念会編（2020）『世界国勢図会――世界がわかるデータブック2020/21』矢野恒太記念会
ASEAN Studies Centre (ASC) -ISEAS (2020), *The State of Southeast Asia: 2020 Survey Report.*
Center for Global Development: CGD (2018), *CGD Policy Paper 121*, March 2018.

第3章

アシシュ・クマール・セン「ポーランドの『プーチン化』に怯えるEU」『Newsweek

日本版』2016年2月26日（https://www.newsweekjapan.jp/about.php）［2020年8月10日閲覧］
黒柳米司（2020）「シャープ・パワー概念とASEAN」（金子芳樹・山田満・吉野文雄編『「一帯一路」時代のASEAN――中国傾斜のなかで分裂・分断に向かうのか』明石書店）
下斗米伸夫（2016）『宗教・地政学から読むロシア――「第三のローマ」をめざすプーチン』日本経済新聞出版社
ナイ, ジョセフ·S（2009）「スマート・パワー」編集部訳（『ハーバード・ビジネス・レビュー』2009年2月号）
袴田茂樹（2007）「ロシアにおける国家アイデンティティの危機と『主権民主主義論』論争」（『ロシア・東欧研究』第36号）
山田満（2020）「中国の影響下で試されるASEANの強靭性」（山田満・苅込俊二編『アジアダイナミズムとベトナムの経済発展』文眞堂）
Nye, Joseph S. (2018), “How Sharp Power Threatens Soft Power: The Right and Wrong Ways to Respond to Authoritarian Influence,” Foreign Affairs, January 24, 2018.
Sontag, Ray (2013), “The End of Sovereign Democracy in Russia: What was it, why did it fail, what comes next and what should the United States think of this? ” *Center on Global Interest (CHI), Rising Experts Task Force Working Paper*, July 3, 2013.
Walker, Christpher (2018), “What is ‘Sharp Power’ ?” *Journal of Democracy*, Volume 29, Number 3, July 2018, pp.9-23.
Walker, Christpher and Jessica Ludwing ed. (2017), *Sharp Power: Rising Authoritarian Influence*, National Endowment for Democracy, December 2017.

第4章

王名（2011）「『非伝統的安全保障』ネットワーク構築に向けて――NGO／NPOの役割」（天児慧編『アジアの非伝統的安全保障Ⅱ 中国編』勁草書房）
国連開発計画（UNDP）(1994)『人間開発報告書1994』国際協力出版会
世界銀行編（1990）『世界開発報告』
中野洋一（2010）「グローバリゼーションと貧困問題」（山田満編『新しい国際協力論』明石書店）
人間の安全保障委員会（2003）『安全保障の今日的課題』人間の安全保障委員会事務局訳、朝日新聞社

ピケティ，トマ（2014）『21 世紀の資本』山形浩生・守岡桜・森本正史訳、みすず書房
本多美樹（2018）「安全保障概念の多義性と国連安保理決議」（『アジア太平洋討究』第 31 号）
水島治郎（2016）『ポピュリズムとは何か——民主主義の敵か、改革の希望か』中央公論新社
山田満（2016）「序論 東南アジアにおける『人間の安全保障』の視座」（山田満編『東南アジアの紛争予防と「人間の安全保障」——武力紛争、難民、災害、社会的排除への対応と解決に向けて』明石書店）
山田満（2019）「『人間の安全保障』からみた東南アジアの人権状況」（大曽根寛・森田慎二郎・金川めぐみ・小西啓文編『福祉社会へのアプローチ——久塚純一先生古稀祝賀』下、成文堂）
Buzan, Barry, Ole Waever and Jaap de Wilde (1997), *Security: A New Framework for Analysis*, Lynne Rienner Publishers.
Caballero=Anthony, Mely (2016), “Understanding Non-Traditional Security,” in Mely Caballero=Anthony ed., *An Introduction to Non-Traditional Security Studies*, Sage.
Milanovic, Branko (2013), “Global Income Inequality in Numbers: in History and Now,” *Global Policy*, Vol.4, Issue 2.
OXFAM International (2020), “World’s billionaires have more wealth than 4.6 billion people,” 20th January 2020.
Vasak, Karel (1977), “A 30-year struggle,” *The UNESCO Courier*, No.29, Nov. 1977.

第 5 章

アナン，コフィ，ネイダー・ムザヴィザドゥ（2016）『介入のとき——コフィ・アナン回顧録』上・下、白戸純訳、岩波書店
外務省国際協力局地球規模課題総括課（2020）『持続可能な開発目標（SDGs）達成に向けて日本が果たす役割』（https://www.mofa.go.jp/mofaj/gaiko/oda/sdgs/pdf/sdgs_gaiyou_202009.pdf）［2020 年 11 月 20 日閲覧］
厚生労働省（2016）『平成 28 年 国民生活基礎調査の概況』
厚生労働省（2016）『平成 28 年度 全国ひとり親世帯等調査の結果』
内閣府・総務省・厚生労働省（2015）『相対的貧困率等に関する調査分析結果について』（平成 27 年 12 月 18 日）
国際連合（2015）『国連ミレニアム開発目標報告要約版』

しんぐるまざあず・ふぉーらむ（2020）「ひとり親家庭への新型コロナウィルス(COVID-19)の影響　9月食料支援アンケート分析」（https://www.single-mama.com/topics/covid-19-sep）［2020年11月20日閲覧］
「人間の安全保障」フォーラム編、高須幸雄編著（2019）『SDGsと日本――誰も取り残されないための人間の安全保障指標』明石書店
堀江正伸（2018）「SDGsが目指す持続可能な社会――開発途上国支援の目標から全世界の目標へ」（山田満編『新しい国際協力論 改訂版』明石書店）
ユニセフ・イノチェンティ研究所（2016）『レポートカード13 子どもたちのための公平性――先進諸国における子どもたちの幸福度の格差に関する順位表』日本ユニセフ協会広報室訳、日本ユニセフ協会

第6章

ゲーノ，ジャン＝マリー（2018）『避けられたかもしれない戦争――21世紀の紛争と平和』庭田よう子訳、東洋経済新報社（Jean-Marie Guéhenno, *The Fog of Peace: A Memoir of International Peacekeeping in the 21st Century*, Brookings Institution Press, 2015）
中内政貴・高澤洋志・中村長史・大庭弘継編（2017）『資料で読み解く「保護する責任」』大阪大学出版会
長谷川祐弘（2018）『国連平和構築』日本評論社
ブトロス＝ガーリ，ブトロス（1995）『開発への課題』国連広報センター（*An Agenda for Development: Report of the Secretary-General*, A/48/935.）
ブトロス＝ガーリ，ブトロス（1995）『平和への課題』第2版と続編と関連国連文書増補、国連広報センター（*An Agenda for Peace: Preventive diplomacy, Peacemaking and Peace-keeping*, A/47/277-S/24111, *Supplement to An Agenda for Peace: Positions Paper of the Secretary-General on the Occasion of the Fiftieth Anniversary of the United Nations*, A/50/60-S/1995/1.）
Harbom, Lotta and Peter Wallensteen (2009), “Armed Conflicts, 1946-2008,” *Journal of Peace Research*, Vol.46, No.4, pp.577-587.
Pettersson, Therese and Peter Wallensteen (2015), “Armed Conflicts, 1946-2014,” *Journal of Peace Research*, Vol.52, No.4, pp.536-550.
Themner, Lotta and Peter Wallensteen (2014), “Armed Conflicts, 1946-2013,” *Journal of Peace Research*, Vol.51, No.4, pp.541-554.
United Nations (2000),『国連平和活動に関する委員会報告』（『ブラヒミ報告』, *Report of Panel on United Nations Peace Operations*, A/55/305,S/2000/809.）

第7章

稲田十一(2004)「国際開発金融機関の復興支援への関与と政策」(稲田十一編『紛争と復興支援——平和構築に向けた国際社会の対応』有斐閣)

稲田十一(2006)「『ガバナンス』をめぐる国際的潮流」(下村恭民編『アジアのガバナンス』有斐閣)

岩崎育夫(2006)「シンガポールの開発とグッド・ガバナンス」(下村恭民編『アジアのガバナンス』有斐閣)

国連開発計画(UNDP)(2002)『人間開発報告書2002 ガバナンスと人間開発』横田洋三・秋月弘子監修、国際協力出版会

下村恭民・辻一人・稲田十一・深川由起子編(2001)『国際協力——その新しい潮流』有斐閣

世界銀行編(2003)『戦乱下の開発政策』田村勝省訳(世界銀行政策研究レポート)、シュプリンガー・フェアラーク東京(Paul Collier, V. L. Elliott, Havard Hegre, Anke Hoeffler , Marta Reynal-Querol and Nicholas Sambanis, *Breaking the Conflict Trap: Civil War and Development Policy*, The World Bank, 2003)

中野洋一(2010)『軍拡と貧困のグローバル資本主義』法律文化社

ハク, マブーブル(1997)『人間開発戦略——共生への挑戦』植村和子・佐藤秀雄・澤良世・冨田晃次訳、日本評論社

ファインスタイン, アンドルー(2015)『武器ビジネス——マネーと戦争の「最前線」』上・下、村上和久訳、原書房(Andrew Feinstein, *The Shadow World: Inside the Global Arms Trade*, Penguin Books, 2011.)

World Bank (1998), *Post-Conflict Reconstruction: The Role of the World Bank*, The World Bank.

World Bank (2020), *World Bank Group Strategy for Fragility, Conflict, and Violence 2020-2025.*

World Bank Group (2020), *Fragility and Conflict on the Front Lines of the Fight against Poverty.*

第8章

岡部達味(1992)『国際政治の分析枠組』東京大学出版会

落合直之(2019)『フィリピン・ミンダナオ 平和と開発——信頼がつなぐ和平への道程』佐伯印刷出版事業部

ガルトゥング, ヨハン(2000)『平和的手段による紛争の転換【超越法】』伊藤

雄彦編集、奥本京子訳、平和文化
国際協力機構（JICA）（2020）『紛争予防配慮・平和の促進ハンドブック――PNA（平和構築アセスメント）の実践』JICA 社会基盤・平和構築部
高柳先男（2000）『戦争を知るための平和学入門』筑摩書房
多賀秀敏（1984）「J・ガルトゥングの世界分析――構造的暴力と帝国主義」（白鳥令・曽根泰教編『現代世界の民主主義理論』新評論）
多賀秀敏（2010）「平和学の最前線」（山本武彦編『国際関係論のニュー・フロンティア』（成文堂）
ボールディング，K・E（1971）『紛争の一般理論』内田忠夫・衛藤瀋吉訳、ダイヤモンド社（Kenneth Ewart Boulding, *Conflict and Defense: A General Theory*, Harper & Row Publishers, 1962.）
山田満（2005）「紛争分析・解決手法と市民参加型の平和構築の展望」（山田満・小川秀樹・野本啓介・上杉勇司編著『新しい平和構築論――紛争予防から復興支援まで』明石書店）
山田満（2016）「東南アジア・同境界地域の紛争解決と平和構築――深南部タイとミンダナオの二つの紛争を事例にして」（『国際政治』第 185 号）
Coser, Lewis A. (1956), *Functions of Social Conflict: An examination of the concept of social conflict and its use in empirical sociological research*, Routledge and Kegan Paul.
Fisher, Simon, Dekha Ibrahim Abdi, Jawed Ludin, Richard Smith, Steve Williams, Sue Williams (2000), *Working with Conflict: Skills & Strategies for Action*, Zed Books.
Lederach, John P. (1997), *Building Peace: Sustainable Reconciliation in Divided Societies*, United States Institute of Peace Press.
Ramsbotham, Oliver, Tom Woodhouse, Hugh Miall (2016), *Contemporary Conflict Resolution: The Prevention, Management and Transformation of Deadly Conflicts*, Fourth Edition, Polity.
Rapoport, Anatol (1960), *Fights, Games, and Debates*, University of Michigan Press.

第 9 章

イリッチ，イバン（1982）「暴力としての開発」（坂本義和編『暴力と平和』朝日新聞社）
上杉勇司（2017）「国家建設と平和構築をつなぐ『折衷的平和構築論』の精緻化に向けて」（『国際安全保障』第 45 巻第 2 号）

遠藤貢（2000）「『市民社会』論」（『国際問題』2000年7月号）
コーヘン, ジーン（2001）「市民社会概念の解釈」（マイケル・ウォルツァー編『グローバルな市民社会に向かって』石田淳・越智 敏夫・向山恭一・佐々木寛・高橋康浩訳、日本経済評論社）
田中（坂部）有佳子（2017）「治安部門改革における『ハイブリッドな平和』への課題――『ローカル』と外部アクターの役割」（『防衛法研究』第41号）
山田満（2005）「国際NGOの台頭――インドネシア民主化に果たした選挙監視NGOのネットワーク」（黒柳米司編『アジア地域秩序とASEANの挑戦――「東アジア共同体」をめざして』明石書店）
Kerkvliet, Benedict J. Tira (1996), "Contested meaning of elections in the Philippines," in R. H. Taylor ed., *The Politics of Elections in Southeast Asia*, Cambridge University Press.
Paris, Roland (2005), *At War's End: Building Peace After Civil Conflict*, Cambridge University Press.
Richmond, Oliver P. (2011), *A Post-Liberal Peace*, Routledge.
Richmond, Oliver P. (2016), *Peace Formation and Political Order in Conflict Affected Society*, Oxford University Press.
Uhlin, Anders (1997), *Indonesia and the "Third Wave of Democratization" : The Indonesian Pro-Democracy Movement in Changing World*, Curzon Press.
Whitehead, Laurence,(1996), "Three International Dimensions of Democratization" in Laurence Whitehead ed., *The International Dimensions of Democratization in Europe and the Americas*, Oxford University Press.

第10章

岩崎育夫（1998）「アジアの市民社会論」（岩崎育夫編『アジアと市民社会――国家と社会の政治力学』アジア経済研究所）
岩崎育夫（2009）『アジア政治とは何か――開発・民主化・民主主義再考』中央公論社
植村邦彦（2010）『市民社会とは何か――基本概念の系譜』平凡社
内田星美（1990）「技術移転」（西川俊作・阿部武史編『産業化の時代』上、岩波書店）
大野健一（2005）『途上国ニッポンの歩み――江戸時代から平成までの経済発展』有斐閣
尾高煌之助（1990）「産業の担い手」（西川俊作・阿部武史編『産業化の時代』上、

岩波書店）
カルドー, メアリー（2007）『グローバル市民社会論』山本武彦・宮脇昇・木村真紀・大西崇介訳、法政大学出版局
黒柳米司編（2005）『アジア地域秩序とASEANの挑戦——「東アジア共同体」をめざして』明石書店
黒柳米司編著（2011）『ASEAN再活性化への課題——東アジア共同体・民主化・平和構築』明石書店
佐藤考一（2011）「ASEAN政治安全保障共同体（APSC）構想をめぐる諸問題」（黒柳米司編著『ASEAN再活性化への課題——東アジア共同体・民主化・平和構築』明石書店）
篠原一（2004）『市民社会の政治学』岩波書店
竹中千春（2018）『ガンディー——平和を紡ぐ人』岩波書店
田坂敏雄（2009）「東アジア市民社会の課題」（田坂敏雄編『東アジア市民社会の展望』御茶ノ水書房）
千葉眞（2001）「市民社会論の現在」（『思想』第924号）
鶴見和子（1989）「内発的発展論の系譜」（鶴見和子・川田侃編『内発的発展論』東京大学出版会）
パットナム, ロバート・D（2006）『孤独なボーリング——米国コミュニティの崩壊と再生』柴内康文訳、柏書房
ハドック, アン・C（2002）『開発NGOと市民社会——代理人の民主政治か？』中村文隆・土屋光芳訳、人間の科学社
ハーバマス, ユルゲン（1994）『公共性の構造転換 第2版』細谷貞雄・山田正行訳、未來社
マハティール・ビン・モハマド（2013）『マハティールの履歴書——ルック・イースト政策から30年』日本経済新聞社
山田満（2008）「東ティモールの平和構築と市民社会の役割」（竹中千春・山本信人・高橋伸夫編『現代アジア研究2 市民社会』アジア政経学会監修、慶應義塾大学出版会）
山田満（2012）「市民社会からみたアジア」（『国際政治』第169号）
ロック（1968）『市民政府論』鵜飼信成訳、岩波書店
Alger, Chadwick F. (2005), "Expanding Involvement of NGOs in Emerging Global Governance," in Oliver P. Richmond and Henry F. Carey eds., *Subcontracting Peace: The Challenges of NGO Peacebuilding*, Ashgate Publishing Company.
Anderlini, Sanam Naraghi (2007), *Women Building Peace: What They Do, Why*

It Matters, Lynne Rienner Publishers.

Askandar, Kamarulzaman (2007), “The Aceh Conflict and the Roles of the Civil Society,” in Kamarulzaman Askandar ed., *Building Peace: Reflections from Southeast Asian*, SEACSN Publications.

Reimann, Kim D. (2005), “Up to No Good? Recent Critics and Critiques of NGOs,” Oliver P. Richmond and Henry F. Carey eds., *Subcontracting Peace: The Challenges of NGO Peacebuilding*, Ashgate Publishing Company.

Whelan, Ryan D. (2011), *BURMA Election 2010: An Election of Generals, Election Summary Report Burma Parliamentary & Local Assembly Elections November 2010*, Thai Action Committee for Democracy in Burma (TACDB).

第11章

天児慧（2018）『中国政治の社会態制』岩波書店

アリヤラトネ，A・T（1990）『東洋の呼び声』山下邦明・林千根・長井治訳、はる書房

岩崎育夫（2009）『アジア政治とは何か――開発・民主化・民主主義再考』中央公論新社

パトリカラコス, デイヴィッド（2019）『140字の戦争――SNSが戦場を変えた』江口泰子訳、早川書房（David Patrikarakos, *War in 140 Characters: How Social Media Is Reshaping Conflict in the Twenty-First Century*, Rogers, Coleridge and White Publishing , 2017.）

むすびにかえて

初瀬龍平（2011）『国際関係論――日常性で考える』法律文化社

ブローデル，フェルナン（1985）『日常性の構造1 物質文明・経済・資本主義 15-18世紀』村上光彦訳、みすず書房

レビツキー , スティーブン , ダニエル・ジブラット（2018）『民主主義の死に方――二極化する政治が招く独裁への道』濱野大道訳、新潮社（Steven Levitsky and Daniel Ziblatt, *How Democracies Die*, Crown, 2018.）

＊全体を通して新聞およびメディア、各種ウェブサイトを適宜利用しているが、原則本文中に出典を入れている。利用した新聞やメディアは、BBC News、朝日新聞、讀売新聞、Newsweek日本版、共同通信など。

索引

あとがき

本書の再校を終えた現在、新型コロナウイルスの第4波の襲来とともに東京をはじめ三度目の緊急事態宣言が発せられた。本書執筆のきっかけは、2020年2月に学生とともにタイの協定校への実習を準備している最中に世界各国へと瞬く間に拡散していったコロナによる影響であった。学生も楽しみにしていた恒例の実習は中止を余儀なくされ、勤務校でも春学期から急遽オンライン授業に切り替わった。私自身の操作によるリアルタイムないしオンデマンド型の授業は初めてのこともあり、その準備に相当手間取った。ただ慣れるに従い、通勤時間が不要になった分、長年先延ばしにしてきた単著執筆の機会を得ることができた。

国際関係に目を転じると、2021年1月20日には予定通り、アメリカ第46代大統領ジョー・バイデン氏の就任式がコロナ感染対策下で挙行された。敗れたドナルド・トランプ氏は最後まで自らの勝利を訴え、それを支持する集団の動きも活発で、アメリカ社会の分断は今後とも続くと思われる。また、2011年に民政移管されたはずのミャンマーで、国軍によるクーデターが2021年2月1日、総選挙後初の国会を前に起きた。コロナ禍での総選挙でNLDが圧倒的な勝利を収めたことが引き金要因になったようだ。国軍は自らの存在感低下に危機の念を抱き、民主主義を支持する若い世代の非暴力の抵抗に対する無差別殺戮を行なっている。いずれも民主主義の基底を揺るがす点では両者は共通している。

さて、筆者にとって単著は久しぶりである。ここしばらくは、多くの研究仲間とともに編著者、もしくは共著者として論考を発表してきた。改めて多くの研究仲間のご教示に感謝の念を表したい。ここでは紙幅の関係から特に限られた方々のお名前を挙げて感謝を伝えたい。まずは、大学院の指導教官であった岡部達味先生、博士論文の主査としてご指導をいただいた初瀬龍平先生、ASEAN 関係の研究会で 15 年近くにわたってご指導をいただく黒柳米司先生にも感謝を申し上げたい。本書のタイトルは黒柳先生のご示唆によるところが大きい。

併せて、上記３人の先生が主宰した研究会、その後も引き続き多くの研究上のご教授をいただいている天児慧氏、吉川元氏、21 世紀研究会各位、さらに職場での先輩や同僚としてご示唆をいただいている松下冽氏、中野洋一氏、多賀秀敏氏にも御礼を申し上げたい。また、本書は筆者の実践的体験からの発想も多く含まれている。開発分野では片岡勝氏、平和構築分野では首藤信彦氏、東ティモール問題では北原巖男氏から多くのご教示を得た。３人の方々は古稀を過ぎた今も現役でそれぞれの分野でご活躍をされている。改めて敬意を表したい。

最後に、筆者が途上国に関心を抱くきっかけを与えていただいた高校時代の恩師である横山武久先生には公私にわたり現在もお世話になっており、改めて長年の御礼を申し上げたい。また、兄であり時に友人でもあった故人・邦明、父・弥四郎、岳父・斎藤孝一に本書を捧げる。併せて母・志枝子、岳母・斎藤壽枝とともに、いつも私の研究生活を支えてくれる妻・聖子にも感謝の念を伝えたい。

いつもながら明石書店社長の大江道雅氏には出版の励ましをいただいている。本書の出版も大江氏の励ましがなければ難しかった。編集作業では村上浩一氏の適切で丁寧な指摘をいただいた。改めて両者に御礼を申し上げたい。

山田 満

初出一覧

本書の各章は書き下ろしであるが、一部以下の章に大幅な加筆を加えて書き改め収録している。

第8章第3節

山田満（2005）「紛争分析・解決手法と市民参加型の平和構築の展望」（山田満・小川秀樹・野本啓介・上杉勇司編著『新しい平和構築論――紛争予防から復興支援まで』明石書店）

第9章第3節

山田満（2005）「国際NGOの台頭――インドネシア民主化に果たした選挙監視NGOのネットワーク」（黒柳米司編『アジア地域秩序とASEANの挑戦――「東アジア共同体」をめざして』明石書店）

第10章第2節・第3節・第4節

山田満（2012）「市民社会からみたアジア」（『国際政治』第169号）

むすびにかえて

山田満（2020）「コロナが映す『平和な社会』に必要な5つの視点」（『東洋経済オンライン』2020年6月12日）

[著者紹介]

山田 満（やまだ みつる）
1955年北海道生まれ。米国オハイオ大学大学院修了（MA）。東京都立大学大学院社会科学研究科政治学専攻博士課程単位取得退学。2000年に神戸大学博士（政治学）を取得。東ティモール国立大学客員研究員、埼玉大学教養学部教授、東洋英和女学院大学大学院教授などを経て、2009年4月より早稲田大学社会科学総合学術院教授。同大学地域・地域間研究機構アジア・ヒューマン・コミュニティー（AHC）研究所長。日本東ティモール協会副会長など多くの国際ボランティア活動に従事。2020年5月より、ベトナム国家大学ハノイ校日越大学学部日本学プログラム共同ディレクターを兼務。専攻は、国際関係論、国際協力論、平和構築論、東南アジア政治論。

[主な著書・編著]
『多民族国家マレーシアの国民統合――インド人の周辺化問題』（大学教育出版、2000年）
『「平和構築」とは何か――紛争地域の再生のために』（平凡社新書、2003年）
『東南アジアの紛争予防と「人間の安全保障」――武力紛争、難民、災害、社会的排除への対応と解決に向けて』（編著、明石書店、2016年）
『難民を知るための基礎知識――政治と人権の葛藤を越えて』（共編著、明石書店、2017年）
Complex Emergencies and Humanitarian Responses, Co-edited, Union Press, 2018
『新しい国際協力論（改訂版）』（編著、明石書店、2018年）
『「一帯一路」時代のASEAN――中国傾斜のなかで分裂・分断に向かうのか』（共編著、明石書店、2020年）

平和構築のトリロジー
——民主化・発展・平和を再考する

2021年5月31日　初版 第1刷発行

著　者　山　田　　満
発行者　大　江　道　雅
発行所　株式会社 明石書店
〒101-0021 東京都千代田区外神田6-9-5
電話 03（5818）1171
FAX 03（5818）1174
振替　00100-7-24505
https://www.akashi.co.jp/

装　　丁　明石書店デザイン室
印刷・製本　モリモト印刷株式会社

（定価はカバーに表示してあります）　ISBN978-4-7503-5204-6

新しい国際協力論
［改訂版］

山田満［編］

◎四六判／並製／368頁　◎2,600円

グローバル公共財、貧困問題、紛争解決と平和構築、国連が取り組む人権・環境・難民、企業の社会的責任など、グローバル化で変わる課題における国際協力の理論と実践を概説し好評の初版に、SDGs、難民、自然災害など新たなトピックを加えた全面改定版。

《内容構成》

はじめに――なぜ国際協力は必要なのか　［山田満］

I　総論　国際協力のフレームワーク

第1章　グローバリゼーションと貧困問題　［中野洋一］
第2章　社会開発と経済開発　［吉川健治］
第3章　国際平和協力　［山田満］
第4章　国際紛争解決と地域機構　［金森俊樹］
第5章　国連・国際機関の人道支援　［堀江正伸］
第6章　日本の政府開発援助――官民連携の新しい潮流　［丸山隼人］

II　各論　国際協力のフロンティア

第7章　SDGsが目指す持続可能な社会
――開発途上国支援の目標から全世界の目標へ　［堀江正伸］
第8章　経済開発と環境保護の半世紀
――地球環境をめぐる課題と対策の過去と将来　［本多倫彬］
第9章　自然災害後の緊急人道支援　［田中新悟］
第10章　市民社会・NGOの役割　［桑名恵］
第11章　ジェンダー視点の国際協力　［福井美穂］
第12章　企業の社会的責任（CSR）　［吉川健治］
第13章　国際教育協力　［利根川佳子］
第14章　新たな政治課題としての難民問題
――誰を、どこで、いかに救済すべきなのか？　［滝澤三郎］

〈価格は本体価格です〉